对外汉语教学

实 用 语 法

卢福波　著

北京语言文化大学出版社

（京）新登字 157 号

图书在版编目（CIP）数据

对外汉语教学实用语法/卢福波著.
－北京：北京语言文化大学出版社，2002 重印
汉语语法教材
ISBN 7－5619－0474－6

Ⅰ. 对…

Ⅱ. 卢…

Ⅲ. 汉语－语法－对外汉语教学－教材

Ⅳ. H195. 4

责任印制：汪学发
出版发行：北京语言文化大学出版社
社　　址：北京海淀区学院路 15 号　邮政编码 100083
网　　址：http：//www. blcu. com
　　　　　http：//www. blcu. edu. cn/cbs/index. htm
印　　刷：北京北林印刷厂
经　　销：全国新华书店
版　　次：1996 年 6 月第 1 版　2002 年 6 月第 7 次印刷
开　　本：850 毫米×1168 毫米　1/32　印张：9. 25
字　　数：232 千字　印数：18501－21500 册
书　　号：ISBN 7－5619－0474－6/H·357
定　　价：14. 50 元
发行部电话：010－82303651　82303591
　　　　传真：010－82303081
E-mail：fxb@ blcu. edu. cn

序

自建国后第一部对外汉语教材问世，至今近四十年来，每部教材都以不同的形式或多或少地涉及现代汉语语法问题，何以如此？盖缘于对外汉语教学是对成年人的第二语言教学，而成年人学习语言的重要特点之一，就是善于类比。他们学会了一条语法规则，理解成一个语言模式，就会比附着造出各式各样的句子，这种套用的结果，时而对了，时而错了。错误的原因，繁纷复杂，有一条也许可以说，语法讲释还不太对路。

顺手翻检一下，几乎全部的对外汉语教材的语法体系，都是沿用为母语是汉语的人所讲的语法体系，无论是教学语法，还是理论语法，都很少或根本没有考虑第二语言习得者所遇到的种种问题，而这些问题是汉语为母语的人所根本没有想到，或人们所说"习焉不察"的。加之有些教材的注释，用了过多的语法概念和术语，不尚此道的中国人读起来尚且不易明了，倘再译成外文，方枘圆凿，龃龉之处也就在所难免，第二语言习得者读起来，便如堕五里雾中。

面对这种情况，对外汉语教学界一直呼吁，能有针对外国人学习汉语特点的语法教材。目前已出版而有代表性的，如：《实用现代汉语语法》（刘月华等著）、《实用汉语语法》（房玉清著）、《汉语语法难点释疑》（郑懿德等著）、《外国人实用汉语语法》（李

I

德津等著）。这些著述，都力求全面阐释汉语语法，体系庞大，篇幅浩繁，讲释详赡，巨细无遗。虽也结合外国人习得汉语中的错误，但在用法的说明上，以及使用条件的规定上，尚嫌不足。学术界历来是前修未密，后出转精。在吸收时贤研究成果的基础上，南开大学汉语言文化学院卢福波女士集多年语法教学的经验，撰写了本书。这是一本很有特色又的确实用的书。它有新颖和明辨两大特点。

先说新颖。该书打破了一般语法教材的模式，它没有面面俱到，也并非点到为止。而是从外国人习得第二语言的实际出发，择要而选，另立顺序。这之中繁简取舍，颇费斟酌，这要看作者鉴裁眼光如何。比如，打乱传统语法先词法后句法的格局，将必要的语法点依难易程度，常用与否，以及它们之间互相依存、互相制约的关系重新组合排列。开宗明义，先讲动词，讲其中的"是"字句、"在"字句、"有"字句。将连谓句、兼语句、存现句，并入一课，也许考虑到这些内容外国学生学习起来并不十分困难，而介词、副词、助词，则用了相当的篇幅，不仅详说用法，且摆出使用条件，特别是针对外国人可能出现的错误，讲明各种限制，将易错之处点出来。如讲完情态补语后，提请学生注意：

"有情态补语的句子，全句的重心在补语部分，谓语动词、形容词前一般不再出现描写性状语和程度副词。

＊他拼命地跑得很快。

＊她很难过得流下了眼泪。"

在讲用"动＋正/在/正在/着"时，指出：

"说话人关心的是动作的进行与持续，而不关心什么时候结束及怎么样，所以要注意：

1）后边不能加表示具体时间长度的词语。

＊于静一直爱着他好几年。

2）后边不能加表示动量的词语。

*他看着我一下。

3）后边不能加表示动作结束的词语。

　　　　*他正记住着生词。

　　这之后，列出没有动作进行态和持续态的常见的非持续动词，以使学习者有所遵从。凡此种种，对母语为汉语的人，似乎是赘述，然而，对第二语言习得者却必不可少。

　　再说明辨。对第二语言习得者来说，在学习语法时，最难莫过于区分异同和区别正误。而该书正是在这两点上下了功夫。正如作者所说："本书在对比方面突出了两个方面：汉语内部相近语言现象的对比，语言用例的正反对比。"前者正是区分异同，后者则是区别正误。

　　比如讲到"左右"和"前后"的异同时，指出：

　　"'左右'既可表时点，又可表时段，'前后'只表时点；'左右'表时点时，只能用于数量词后，不能用于名词后，'前后'可以用于名词后。如：

五点左右　　五个小时左右　　*元旦左右

五点前后　　*五个小时前后　　元旦前后

　　又比如在讲"很""太""真"时也区分了它们的异同，区别了正误：

　　　　*他最近工作很忙了（该用"太"）。

　　　　*我跟别的留学生进行了真有意思的交流（该用"很"）

　　该书在对比中特别注重使用条件，如讲到某些副词的选择限制条件，指出了对词语的积极意义、消极意义进行选择

根本不了解　　　　根本没同意

*根本了解　　　　*根本同意

有点儿马虎　　　　有点儿胡涂

*有点儿仔细　　　*有点儿清楚

　　总之，该书文字简练，叙述清楚，讲释语法规则力求条理化。

虽未译成外文，第二语言习得者也可读懂。书中配有大量练习，练习项目的设计既有助于掌握所学语法规则，又针对学习者易出现的错误。这些错句是长期积累，广为搜集，得之不易的。

总之，这是一本有义理、有辞章、有事实的书，是一本有用的书。我深信，无论是从事对外汉语教学工作的同行，还是把汉语作为第二语言的习得者，都会从这部书中获益不少。

如果从语法的三个平面观来考察，书中涉及语义分析较少，更未关涉到语用条件的选择。然而，这些在外国人习得汉语入门之后，是不可回避的问题，应该从基础阶段起，逐步引向深入，这样才能使语言表述合理，表达正确。书中不足之处，瑕不掩瑜。还是那句话，这是一本十分有用的书。

赵金铭

1995. 12

说　　明

一　本书适用范围

《对外汉语教学实用语法》是为汉语学习一年以上（汉语水平已达四级或四级以上）的外国学生编写的汉语语法教材及参考书，也可作为对外汉语教师的参考用书。

二　本书特点

（一）明确的针对性

本书完全针对外国学生汉语语法学习中存在的实际问题选设语法点；语言力求浅显明白，语法规则力求条理化，尽量减少讲解概念和理论说明，以期达到学生自己较容易地读懂本书的目的。

精讲多练对于外国学生的汉语学习尤为重要。本书设计了大量针对性强、有助于巩固学生对语法点掌握和运用的练习，这是学生消化理解汉语语法规则的重要学习环节。

对比教学是对外汉语教学必须遵循的重要教学原则和方法。本书在对比方面突出了两个方面：汉语内部相近语言现象的对比、语言用例的正反对比。

（二）简明实用性

为突出针对性，本书在体例上打破以往语法教材的模式，没有面面俱到，而是择要而选，一般问题从略。从学生应用汉语的实际出发，不孤立地讲解词，而是词中有句、句中有词，从词、句子成分入手，兼顾词组、句子结构及语用特点。为使学生对现代汉语语法的特点及概况有整体认识，本书设有"概述"，为学生参考使用。

为学生语法知识的学习、巩固、提高和水平自测，本书设有大量形式多样的练习、综合练习及汉语语法水平测试试题。题型及内容都将有助于学生参加并通过 HSK 汉语语法水平考试。

　　本书在语法点的选设上、体例上都有所突破，难免有缺点不足甚至错误，唯望广大读者不吝指教，以期将来进一步修改提高。

　　本书得到我院谢文庆、孙辉、王振昆、李赓扬、国赫彤、贾甫田、郭继懋等先生真挚而热情的帮助，不但帮助审读原稿，还提出很好的意见和建议，尤其谢文庆先生通审了原稿，提出了具体的修改意见。在此，谨向各位先生表示衷心感谢！

著者　　于南开园

目　录

概　　述

一、现代汉语语法的特点

（一）形态变化不发达、不普遍

汉语中，形态变化的现象是存在的，但是很少。有的词类虽然具有某种形态上的变化，但是这种变化不是所有的同类词都具有，也不是所有的场合都通用。例如：

1 双音节动词的重叠方式一般是 ABAB，如：商量商量、照顾照顾；双音节形容词的重叠方式一般是 AABB，如：干干净净、舒舒服服。但是少数双音节形容词也有 ABAB 的重叠方式，如：雪白雪白、通红通红。此外，不是所有的双音节动词和形容词都具有 ABAB 和 AABB 的重叠方式。如：动词"担心""喜爱"，不能说成"担心担心""喜爱喜爱"；形容词"美丽""聪明"，也不能说成"美美丽丽""聪聪明明"。

2 "们"可以表示复数，但是它太缺乏普遍性。"他们是工人。"其中"他们"虽然是复数，却不能说成"他们是工人们。"

3 汉语的动词不随人称、性、数、时的变化而变化。如："是"→"我是学生。""你是学生。""我们是学生。""他们是学生。"无论第一、第二、第三人称，还是单数或复数，对动词"是"没有任何影响。

再如："看"→无论是"昨天看""正在看"还是"明天看"，时态的变化对动词自身的形式不产生任何影响。

4 汉语的动词、代词等也不随句中位置的变化而变化。如："研究"→"研究语言""研究正在进行""注重研究""研究的方向"。无论"研究"在句中做主语、谓语、宾语，还是修饰限制词语，都没有词形上的变化。

再如："我"→"我吃饭""他来看我""我朋友"，无论是主格、宾格，还是所有格的意义，都没有词形上的变化。

（二）汉语十分重视词序和虚词

由于汉语形态变化不发达、不普遍，形成词序和虚词在汉语中特有的地位。

首先，词序不同，表达的意义就不同。如："我喜欢他""他喜欢我"；"不很好""很不好"。

其次，用不用虚词和用不同的虚词，意思也完全不同。如："看书""看的书"；"我把他摔倒了""我被他摔倒了"。

此外，汉语语法还有一些其他特点。如：繁多的量词—— 不同的事物配有不同的量词；庞杂的补语—— 动词除了与表示时态意义的"了""着""过"配合外，常常还要跟适当的补语结合起来使用。另外单双音节对组词造句也有相当的影响。如："进行学习"可以说，"进行学"却不行；"美丽富饶的宝岛""又美又富的宝岛"可以说，"美、富的宝岛"一般却不能说。

二、现代汉语语法概述

（一）语法单位

汉语语法单位包括语素、词、词组、句子。

1 语素

绝大多数是单音节的，写出来是一个汉字，如："民、桌、子、学、就"等；也有少数是多音节的，如："玻璃、葡萄、巧克力"等。它们是汉语里最小的音义结合体，也是最小的语法单位。

2 词

大多是单音节、双音节的，如："大、听、才、医生、应该、永远"等；也有少数是三音节及以上的，如："图书馆、现代化、科学工作者"等。从数量上看，双音节词最多。词是汉语里最小的能够独立运用的语言单位。如：

　　　　小王在吗？ —— 在。　　　　谁来了？ —— 老师。

"在""老师"可以单独用来回答问题。

　　　　春天的校园　　　　被他打了　　　　在房间睡觉

"的""被""在"可以单独进入句子，表示一定的语法意义。

　　3　词组

　　词和词按一定的规则组合成的更大的造句单位就是词组。如：

　　　　我们学校　打电话　非常喜欢　卖票的　往前走

　　4　句子

　　句子是能够独立的表达完整意思的语言单位。句子要有语调，书面上，用句号、问号、叹号等表示。在语言运用中，句子是最小的语言使用单位。如：

　　　　(1)最近身体怎么样？ —— 不错。

　　　　(2)注意！

　　　　(3)在朋友们的帮助下，我克服了一个又一个的困难。

　　(二)词的分类

　　汉语里的词一般分为以下几种：名词、动词、形容词、数词、量词、代词、副词、助词、介词、连词、象声词、叹词等。

　　1　名词：　表示人、事物名称的词。
　　　　　　　中国　　树木　　思想　　秋天　　中间

　　2　动词：　表示动作、行为、存在、发展、变化、消失等意义的词。
　　　　　　　坐　　研究　　讨厌　　有　　　能够

　　3　形容词：表示性质、状态的词。
　　　　　　　高　　优秀　　通红　　绿油油　主要

　　4　数词：　表示数目的词。
　　　　　　　零　　一千　　七八十　第一　　零点七

　　5　量词：　表示计量单位的词。

3

<table>
<tr><td></td><td></td><td>个</td><td>双</td><td>遍</td><td>斤</td><td>米</td></tr>
</table>

6　代词：　具有指别、称代作用的词。

　　　　　他们　　自己　　那儿　　怎样　　这么

7　副词：　用以说明动作、性状的范围、时间、程度、频率、
　　　　　肯定或否定等的词。

　　　　　都　　　正在　　很　　　再　　　没有

8　介词：　放在名词、代词或某些词组前组成介词词组用以
　　　　　修饰动词或形容词的词。

　　　　　在　　　向　　　跟　　　把　　　按照

9　连词：　连接词、词组或分句的词。

　　　　　和　　　或者　　然后　　如果　　虽然

10　助词：　附着在词或词组后表示某种语法意义的词。

　　　　　的　　　了　　　着　　　吗　　　似的

11　象声词：用语音来模拟事物或自然界声音的词。

　　　　　叮当　　叮铃铃　呼呼　　潺潺　　哗哗

12　叹词：　表示感叹、呼唤、应答的词。

　　　　　啊　　　唉　　　哼　　　哎呀　　喂

（三）词组的类型

词组从结构上、功能上可以分成两大类型：

从结构上进行划分，可以分成以下几种类型：

▲ 实词和实词组合的词组有：

1　主谓词组：前后两部分表示被陈述和陈述的关系。

　　　　　生活美好　我们去　今天星期日　他北京人

2　述宾词组：前后两部分之间表示支配、被支配或关涉和
　　　　　　被关涉的关系。

　　　　　参观工厂　写文章　当医生　　是朋友

3　偏正词组：前后两部分之间是修饰限制关系。

　　　　　明媚的春光　一份礼品　认真听　不做

4

4　中补词组：前后两部分之间是补充、说明关系。

　　　打开　　好得很　　住下来　　读一遍　　听不懂

5　联合词组：各部分之间有并列、递进、选择关系。

　　　吃、住、行　　伟大而高尚　　骑车还是步行

6　同位词组：前后两部分之间有复指关系。

　　　我们大家　　首都北京　　书法这种艺术

7　量词词组：由数词或指示代词加上量词组成。

　　　一个　　这种　　五斤　　两次　　这回

8　方位词组：由名词性词语或动词性词语加上方位词组成，
　　表示处所、范围或时间等。

　　　房间里　　下课后　　朋友之间　　五十左右

▲ 实词和虚词组合的词组有：

9　介词词组：由介词附着在名词或名词性词组前组成。

　　　对他　　往南　　从那时　　关于这个问题

10　"的"字词组：由"的"加在词或词组后，相当于名词。

　　　买的　　人家的　　有用的　　戴眼镜的

11　"所"字词组：由"所"加在动词前，相当于名词。

　　　所有　　所想　　所关心　　所了解

12　比况词组：由"似的""一般""一样"等助词附在词
　　或词组后，相当于形容词。

　　　飞似的　　母亲般的　　大海一样

▲　固定词组：指成语、惯用语和部分专有名称等。

　　　胸有成竹　　走后门　　人民大会堂

从功能上进行划分，可以分成以下几种类型：

1　名词性词组：包括名词做中心语的偏正词组、量词词组、
　　方位词组、"的"字词组、"所"字词组等。

　　　实在人　　两张　　饭后　　红的　　所得

2　动词性词组：包括述宾词组、动词做中心语的偏正词组

和中补词组等。

　　　干工作　　慢慢地跑　　　写得很清楚

3　形容词性词组：包括形容词做中心语的偏正词组和中补
　　词组等。

　　　特别忙　　贵得很　　　聪明可爱

（四）句子成分

句子成分是句子的组成部分。分为八种：

主语、谓语、述语、宾语、中心语、定语、状语、补语。

1　主语、谓语和述语、宾语

主语是陈述的对象；谓语是对主语的陈述。如：

　　（1）我们的目的‖已经达到了。

　　（2）他‖是个中学生。

　　谓语中如果有宾语，就可以分出述语和宾语两个成分。述语
是动词或动词性词组，宾语是动作支配、关涉的对象。如：

　　（4）下午，我们去看电影。

　　（5）他刚打了一个电话。

2　中心语和定语、状语、补语

被修饰、限制的成分叫中心语，起修饰、限制、补充作用的成
分叫附加成分，附加成分分为定语、状语、补语三种。

　　定语是名词性中心语前面的附加成分；状语是动词、形容词
性中心语前面的附加成分；补语是动词、形容词性中心语后面的
附加成分。如：

　　（6）（院子里的）孩子们［都］跑了＜出来＞。

　　（7）她［已经］收拾＜完了＞（所有的）房间。

（五）句子的分类

句子可以从不同角度、按不同标准进行分类：

▲　按语气可以分成：陈述句、疑问句、祈使句、感叹句。

1　陈述句：叙述事情或对事物加以说明、描写。

6

（1）春天，燕子飞回来了。

（2）北京是中国的首都。

2 疑问句：提出问题。

（3）现在几点了？

（4）难道连你也不去了？

3 祈使句：表示请求、命令、劝阻或禁止。

（5）快跑！

（6）请大家保持肃静！

4 感叹句：表达强烈的感情。

（7）这里的风景多美啊！

（8）真不讲理！

▲ 按结构可以分出三个层次的类别：

1 单句和复句

单句：由一个主谓词组或谓语构成。

复句：由两个或两个以上意义上有关系的单句组成。

（1）我们爬上长城了。　　　　　　　　（单句）

（2）如果星期日不下雨，我们就去长城。（复句）

2 主谓句和非主谓句

主谓句：由主谓词组构成的单句。

非主谓句：由主谓词组以外的词组或词构成的单句。

（3）看热闹的人多极了。　　（主谓句）

（4）下雨了。　　　　　　　（非主谓句）

3 动词谓语句、形容词谓语句、主谓谓语句、名词谓语句

（5）我正吃饭呢。　　（动词谓语句）

（6）这个苹果真红。　（形容词谓语句）

（7）他眼睛坏了。　　（主谓谓语句）

（8）今天清明节。　　（名词谓语句）

<table>
<tr>
<td>

第一单元

动 词

</td>
<td>

　　动词是表示动作、行为、心理活动或存在、发展变化、消失等意义的词。
　　表示动作行为：吃、听、看、劳动、学习、研究
　　表示心理活动：爱、想、喜欢、担心、感动、希望
　　表示存在、变化、消失：在、有、开始、发展、变化、消失
　　表示判断的（判断动词）：是
　　表示可能、意愿、必要（助动词）：能、会、可以、愿意、要、肯、应该
　　表示趋向（趋向动词）：来、上、进、下去、起来、回去

</td>
</tr>
</table>

第一课　　　"是""在"字句

一　"是"字句

　　"是"字句是由判断动词"是"做谓语构成的句子，主要表示判断。所谓判断是说明事物等于和属于什么。基本结构是：

　　　　名（人或事物）＋是＋名（人或事物）

　　例如：

　　　（1）　我是新来的那个日本留学生。

　　　（2）　他是伟大的科学家。

　　　（3）　那本词典是我的。

　　　（4）　他来中国的目的是学习汉语，了解中国。

　　（一）"是"字句的主语和宾语在意义上和结构上的关系

　　▲　在意义上是表示"等于"时，结构上主语和宾语的位置可以互换。例如：

（5）　我是李明。→　李明是我。

（6）　八月十五是中秋节。→　中秋节是八月十五。

表示"等于"意义的还有一种相互解释的关系：

（7）　他来中国的目的是学习汉语、了解中国。→　学习汉语、了解中国是他来中国的目的。

▲　在意义上是表示"属于"时，结构上主语和宾语的位置不能互换。例如：

（8）　我是这个公司的职员。→　＊这个公司的职员是我。

（9）　那本词典是我的。→　＊我的是那本词典。

（10）　他是伟大的科学家。→　＊伟大的科学家是他。

（二）"是"有时既有判断意义，又有存在意义。

基本结构是：

　　　　场所词语＋是＋名（人或事物）

例如：

（11）图书馆旁边是一片小树林。

（12）火车站前是一个宽阔的广场。

（13）这里，到处是人。

含"存在"意义的"是"做谓语时，主语一般是表示方位或场所意义的词语；主语跟宾语不能换位。

＊　一个宽阔的广场是火车站前。

＊　这里，人是到处。

（三）除解释性关系外，"是"联系的词语应具有名词性。

例如：

（14）今天是开学的第一天。

（15）我们是参观工厂的，他们是参观农村的。

＊　我们是参观工厂，他们是参观农村。

（四）"是"只表示判断、存在，不表示动作，后边不能加

9

"着""过"和表示完成意义的"了"。如果表示过去的情况,可以在动词前边加上表示时间意义的词语。例如:

(16) 这所房子以前是他的。

(17) 那时,他只是个农民。

(18) 十年前,这里曾经是一片沼泽。

但是,"是"字句也可以判断某个人或事物出现了某种新情况,这时句尾常常加"了"。例如:

(19) 把钥匙拿去吧,这个房间是你的了。

(20) 从此,你不再是我的朋友了。

(五)"是"字句的否定形式

只能用"不"否定,不能用"没"或者"没有"。例如:

(21) 我说的那个人不是他。

＊ 我说的那个人没是他。

(六)"是"字句的疑问形式

A 是……吗?

这个房间是你的吗?

B 是不是……?

他是不是参加会议的代表?

C 是……不(是)?

车站旁边那个楼是邮电局不(是)?

否定部分的"是",有时可以省略。

用"是不是"或"是…不是"疑问时,句后一定不能再加表示疑问语气的"吗"。例如:

＊ 他是不是参加会议的代表吗?

＊ 那把伞是你的不是吗?

此外,"是"常跟名词、动词、形容词及其词组加"的"构成的"的"字词组组合在一起,表示不同的判断意义。例如:

(22) 这些书、报、杂志都是图书馆的。(领属)

（23）他用的那双筷子是竹子的。（质料）

（24）她是车上买票的。（归类）

二 "在"字句

（一）"在"的基本意义是表示"存在"，基本结构是：

名（人或事物）＋ 在 ＋ 处所词语

例如：

（1）他在学校。

（2）词典在书架上。

（3）操场在宿舍北边。

"在"的处所如果是已知的，有时可以省略。例如：

（4）我上午给你打了一次电话，你没在。

（5）张老师在吗？ —— 在，请进！

（二）有关的处所词语

"在"字句中的"处所词语"常常有以下几种情况：

1 名词本身就是一个表示处所的词语，有时可以直接用来表示处所。主语一般是表人的名词。例如：

车站　广场　图书馆　学校　饭店　银行

（6）他今天在学校。

＊图书馆在学校。

（7）餐厅在一楼。（一楼是具体场所）

2 普通名词（表示人、事物）要表示处所，必须加上方位词或者指代处所的代词——这儿、那儿等。例如：

河边　门前　桌子上　书包里　沙发旁边

老师那儿　书柜那儿　我这儿　床这儿

（8）词典在书柜里。

＊词典在书柜。

（9）沙发在桌子旁边。

＊沙发在桌子。

（10）信在小王那儿。

＊信在小王。

合成方位词有时可以单独用来表示处所。例如：

（11）大门在东面。

（12）他们在前边。

（三）"在"只表示"存在"，不表示动作，后边不能加"了"
"着""过"。如果表示过去的情况，可以在动词前加上时间性词语。
例如：

（13）昨天上午，我在图书馆。

（14）他刚才还在家呢。

（四）"在"的否定形式是"不"，有时也可以用"没"。某物
的位置是相对固定不变的，一般用"不"；可变的人或事物可根据
情况选择"不"或"没"。例如：

（15）图书馆不在这儿，在那座楼后边。

（16）我上午没在家。

（17）他现在不在中国。

＊图书馆没在这儿，在那座楼后边。

＊那座山没在南边，在西边。

表示将来时间"存在"，只能用"不"否定。

（18）下午，我不在家。

＊下午，我没在家。

练 习 一

一 下列哪些句子的主语跟宾语可以互换：

（1）鲁迅就是周树人。（　）
（2）李四光是中国有名的地质学家。（　）
（3）王老师的书房里都是书。（　）
（4）我不是这个公司的经理。（　）
（5）八月十五是中国民间的传统节日。（　）
（6）这套房子是三室一厅。（　）
（7）这支笔是用来绘画的。（　）
（8）这辆车以前是他的。（　）

二　用"是"和提供的词语组成完整的句子：

（1）　他　　中国代表团的团长

（2）　旅游　　学习　　也

（3）　小花园　　宿舍前边

（4）　谦虚　　美德

（5）　不　　鱼类　　鲸

（6）　中国古代的四大发明　　造纸、印刷术、火药和指南针

（7）　刚修好的　　这条公路

（8）　阴天　　明天

三　用下列词语加动词"在"组成完整的句子：

(1)　　钥匙　　　抽屉里

(2)　　书柜顶上　　　　大花瓶

(3)　　图书馆　　不　　南面　　　　北面

(4)　　广场中央　　　　纪念碑

(5)　　正　　　经理　　办公室

(6)　　我心中　　她　　永远

(7)　　没　　　楼下　　小王的自行车

(8)　　柜里　　都　　全部文件

四　改正下列句子中不适当的地方：
(1) 这条街是不是王府井大街吗？
(2) 邮电局没在商店那儿。
(3) 一个小花园是湖边。
(4) 他是你的朋友不是吗？
(5) 刚才看病的那个医生没是他。
(6) 这些书是都儿童读物。
(7) 那个人是修自行车。
(8) 昨天晚上来的那位客人是了他。
(9) 这个娱乐中心是孩子们。
(10) 过去，这个工厂是过他们公司的。

14

（11）这个商店里的服装都高级。

（12）李明在不在家吗？

（13）小卖部在小花园。

（14）王刚三年前在东京了。

（15）那片大草坪就在大桥。

（16）他现在正在着房间里。

（17）他明天可能没在公司，听说要出差。

五　用"是""在"做谓语，说说图中事物的位置：

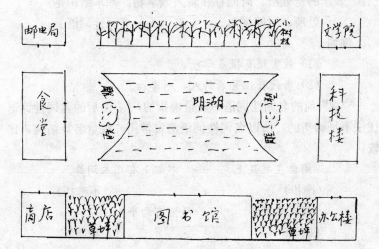

第二课 "有"字句

"有"字句是由"有"做谓语构成的句子。动词"有"的基本意义主要有两项：一是"存在"，二是"领有"。

一 "存在"的"有"

"有"和"在"都表示存在，可是它们的结构形式却不相同。"有"表示的是处所、时间存在着人或事物。基本结构是：

处所、时间词语　＋　有　＋　名词性词语

例如：

（1）教室里有很多学生。

（2）唐代有位著名诗人，叫李白。

"在"前的名词性词语一般是确指的，"有"后的名词性词语往往不是确指的，所以名词性词语前常常用"数量名"结构。比较：

词典在书架上。—— 书架上有几本词典。

（确指）　　　　　　　　　　　（不确指）

人在屋里。 —— 屋里有两个人。

（确指）　　　　　　（不确指）

二 "领有"的"有"

1. 作谓语时，基本结构是：

名词性词语（多是有生命的）＋有＋名词性词语

例如：

（3）人人都有两只手。

（4）我有很多朋友。

（5）他有一个幸福的家庭。

2. "有"还可以表示"具有"某种新情况发生和出现。这时"有"后常常附有表示变化意义的"了";"有"的宾语常常是动词性词语，也有名词性的。其基本结构是：

名词性词语　＋　有（了）　＋　动词、名词

例如：

（6）最近，他的汉语有了明显的进步。

（7）近几年，教育又有了很大的发展。

（8）她又有男朋友了。

"有"前有副词"又"时，"有"后一般都要加"了"。

＊她又有男朋友。

＊我又有机会。

"有"后接"过"可以表示"曾经具有"的意义。例如：

（9）他有过去国外的机会，可是他放弃了。

（10）过去，她曾经有过这种经历。

3. 一般的"有"不受程度副词修饰，但是当宾语表示的是主语的属性，宾语多为抽象名词时，"有"可以接受程度副词的修饰。

例如：

（11）这次社会实践很有意义。

（12）这个青年非常有头脑。

（13）小王很有领导才能。

三　"有"的否定形式

"有"只能接受"没"的否定，不能接受"不"的否定。对提问进行否定回答时，不能单独用"没"。否定后，不是在特定的场合下（反驳、对比、强调等），宾语前一般不用不确指的数量词语。

例如：

（14）我没有时间，不能陪你上街了。

（15）你有中国朋友吗？ —— 没有。

　　＊ 你有中国朋友吗？ —— 没。

（16）我没有自行车。

　　＊我没有一辆自行车。

四　"有"的疑问形式

可以在句尾加"吗"，也可以用"有没有"的形式。但是用"有没有"提问时，除特殊场合外（反驳、对比、强调等），宾语前一般不用表示不确指意义的数量词语。例如：

（17）他到现在还没有住处吗？

（18）你有没有这三种书？（确指数量）

（19）今年夏天我们有假期没有？

（20）在美国，有很多中国饭店吗？

　　？ 在美国，有没有很多中国饭店？（不确指数量）

练　习　二

一　根据下列句子的内容，从 ABC 中选词填空：

　　　　A　是　　　　B　在　　　　C　有

（1）这座立交桥（　　）三层。

（2）他不（　　）一个坚强的人。

（3）我没（　　）机会去上海了。

（4）小华没（　　）院子里。

（5）这家公司在经济上很（　　）实力。

（6）他（　　）访华代表团的团长。

（7）他可能正（　　）开往上海的火车上。

（8）近年来，中国在经济上（　　）重大发展。

(9) 小河对面那所房子就（　　）我家。

(10) 他（　　）过这种教训，不会再傻了。

二　下列左右两侧的词语哪些加"有"可以搭配，哪些搭配后，"有"前可以加"很"，"有"后可以加"了"（每项只能用一次）：

俱乐部里	礼貌
我跟他	四节课
这孩子	理想
人民的生活水平	一座桥
这台机器	学问
他对这个问题	很多人
每天上午	很大提高
李教授	毛病
河上	认识
这些年轻人	来往

三　用"有"做谓语，将下列词语组织成句子：

例：他　　自行车是绿色的

他有一辆绿色的自行车。

(1) 她　　女儿一岁半

(2) 他　　相机价值三千多元

(3) 学校　　图书馆六层楼

(4) 门前　　杨树高大

(5) 这里　　游乐场很大

19

（6）中日两国　　　在经济互助上发展了

（7）他　　　　组织能力很强

（8）他的汉语　　又获得了进步

四　改正下列句子中的错误：

（1）星期天，你有时间没有吗？

（2）明天下午有上课吗？

（3）这种录音机一般商店不有卖的。

（4）一个图书馆里，很有图书和报刊杂志。

（5）今年太忙了，我没有一个机会去上海了。

（6）门前在一个大草坪。

（7）听说今天夜里有下雨。

（8）他对这个问题又新的认识。

（9）他的报告对你们很帮助吧？

（10）这个星期有参观吗？　——　　没。

（11）屋里一个人也没在。

（12）这台录音机又有毛病。

（13）我的书柜里各种各样的图书，你去看看吧。

（14）中国近代有著名文学家叫巴金。

（15）A 你现在有没有一个中国朋友？

　　　　B 我没有一个中国朋友。

第三课　一般动词句和动词的重叠

一、一般动词句

动词在句子里主要做谓语，有以下语法特点：

1　可以受副词修饰。例如：

　　　　正在打电话　　　都看完了　　　马上去

　　　　果然来了　　　　再写一遍　　　准参加

表示心理活动的动词和部分能愿动词可以接受程度副词的修饰，其它动词不能接受程度副词的修饰。例如：

　　　　很生气　　　　　非常担心　　　特别爱

　　　　十分喜欢　　　　相当愿意　　　多么希望

2　多数动词后边可以带"了""着""过"，从语法上表示动作的状态。例如：

　　　　他昨天给妈妈写了一封信。　　（动作的完成）

　　　　他正给妈妈写着信。　　　　　（动作的进行）

　　　　他前几天给妈妈写过信。　　　（动作经历过）

3　多数动词可以连带宾语。例如：

　　　　我正在看小说。　　　　──　　看　→　小说

　　　　小王明天去北京。　　　──　　去　→　北京

　　　　他很关心我。　　　　　──　　关心　→　我

▲　　有些动词，只能连带动词、形容词或动词性词组的宾语。例如：

　　　　开始　　进行　　主张　　希望　　盼望

　　　　打算　　觉得　　感到　　以为　　认为等

进行学习　　　盼望他来　　　打算去北京

感到舒服　　　觉得痛快　　　以为你不来了

▲　还有些动词是不能连带宾语的。例如：

着想　　休息　　毕业　　出发　　劳动

送行　　见面　　生活　　前进　　失败

＊着想他　　　＊毕业南开大学　　＊送行朋友

替他着想　　　毕业于南开大学　　为朋友送行

4　可以用肯定形式和否定形式并列的方式表示提问。例如：

你去不去图书馆？

他吃没吃饭？

这件礼物你喜欢不喜欢？

双音节动词还可以用"A 不（没）AB"形式。如：

能参加这次活动，你高不高兴？

你习没习惯这里的生活？

肯定否定并列的方式已经表示疑问，所以句子后边不要再加表示疑问语气的"吗"。例如：

＊你吃不吃早饭吗？

二、动词的重叠方式和意义

1　一部分动词可以重叠使用，重叠方式有以下几种：

单音节动词　　　AA　　　　读读　　　　走走

双音节动词　　　ABAB　　练习练习　　休息休息

动词中间加"了"A 了 A　　听了听　　做了做

　　　　　　　　AB 了 AB　学习了学习　研究了研究

动词中间加"一"A —A　　想一想　　唱一唱

双音节动词不能用中间加"一"的方式进行重叠。例如：

＊学习一学习　　　＊研究一研究

动词重叠后，单音节动词重叠部分读轻声；双音节动词后一音节读轻声。例如：

坐坐　　　zuò zuo　　　　　讲讲　　　jiǎng jiang

讨论讨论　tǎolun tǎolun　　安排安排　ānpai ānpai

2　动词重叠后的意义　　动词重叠以后，主要表示"短时"和"尝试"的意义。但是在具体语言环境中，意义有所侧重。例如：

A　"A 了 A""AB 了 AB"用于已经发生的动作，一般表示短时的意义。

（1）他想了想说："还是你去吧！"

（2）这个计划我们研究了研究，觉得还可以。

动词重叠时，"了"放在重叠的动词中间，不要放在后边。

（3）他尝了尝菜。

＊他尝尝了菜。

重叠的动词后加"就"也表示"短时"的意义。

（4）看看就给你，不要你的。

B　动词重叠常常表示尝试的意义；动词后常常可以加"看"。

（5）这个菜怎么样，尝尝就知道了。

（6）商量商量看，去哪儿更好？

（7）怎么？修理不好了？来，我修理修理看。

C　动词重叠用在祈使句中，有缓和语气的作用。例如：

（8）我的钥匙不见了，你帮我找找！

（9）王大夫，您休息休息吧！

（10）你再给我看一看，句子里还有错儿没有？

如果不重叠动词，语气就显得生硬，甚至含有命令的意味，用于请求别人做事是不合适的。例如

这段话他不懂，你给他解释！（？）

那本书有意思吗？给我看！（？）

D　动词重叠还可以用以例举，含有轻松、随便的意味。

（11）办完事，买买东西，回去收拾收拾行李就准备走了。

（12）我每天早上都来这里跑跑步、做做操。

3　动词重叠方式跟一般动词的使用范围有很大不同,有些情况下,不能用动词的重叠方式。

A　一般只用于口语或文艺语体,不用于公文、政论、科技语体。

　　* 现将本学期学习情况汇报汇报如下。（?）

　　* 有关车间设备增进计划,敬请领导审阅审阅。（?）

B　表示正在进行和同时进行的两个以上的动作、动词后有"了""着""过"的句子,动词不能用重叠方式。

　　* 我正在休息休息,他来了。

　　* 她一边指指图片,一边给我讲解讲解。

　　* 她早上洗洗过衣服。

C　做修饰限制语的动词不能用重叠方式。

　　* 刚才试试的那件衣服还可以。

　　* 学学骑自行车的时候,不要急!

D　动词有补语的情况下,不能用重叠方式。

　　* 我们在那里又等了等半个小时。

　　* 等我看看明白了,再讲给你听。

练 习 三

一　将下列两侧可以搭配的词语划线连接起来:

（1）参加　　　　　舒服
　　讨厌　　　　　体育活动
　　看　　　　　　问题
　　进行　　　　　网球
　　知道　　　　　电影
　　讨论　　　　　他

认为　　　　　　　可以

开始　　　　　　　那件事

打　　　　　　　　讨论

感到　　　　　　　上课

（2）非常　　　　　写完了

都　　　　　　　　打电话

马上　　　　　　　感动

最　　　　　　　　听着音乐

正　　　　　　　　想念父母

二　选用适当的动词和下列提供的词语组成完整的句子：

（1）我　　　　　汉语作业

（2）姐姐　　　　听广播了

（3）他　　　　　没　　　　自行车

（4）下星期　　　他　　　　去上海

（5）孩子们　　　非常　　　这个玩具

（6）大家　　　　我的意见

（7）小妹　　　　十分　　　文学

（8）山本　　　　来中国学习汉语

（9）他　　　　　很　　　　这些孩子的成长

（10）每天晚上　　我们　　　都　　　　音乐

三　下列句中动词重叠后表达哪一种意义：

　　　　A　短时　　　　C　缓和语气

　　　　B　尝试　　　　D　"随便"的意味

（1）桌子上太乱了，来，帮我整理整理！（　）

（2）他笑了笑说："没关系！"（　）

（3）晚上，听听音乐，聊聊天，挺有意思的！（　）

（4）我想请您给我看一看这篇文章。（　）

（5）这首歌很好听吗？我听听。（　）

（6）他看了看表，知道火车已经开了。（　）

（7）洗洗衣服、收拾收拾房间，一忙就是一天。（　）

（8）你在这儿等一下，我去去就来。（　）

四　用下列词语各说一句话：

（1）帮帮

（2）看了看

（3）找一找

（4）研究研究

五　改正下列句子中不适当的地方：

（1）你最好听听清楚了再回答。

（2）这个周末，我们要进行一个舞会。

（3）她一边哭哭，一边说说。

（4）他们打算一次上海的旅游。

（5）他又一次看看了她，转身走了。

（6）现在，我希望两种职业。

（7）小王很病了，我想去看看他。

（8）大家正在讨论讨论那个问题。

（9）他们非常知道应该怎样生活。

（10）他正是我要找找的那个人。

（11）我还不太知道中国，我想多多知道它。

（12）他是学国际经济的，毕业南开大学。

（13）三年前，我们在一起学习学习过。

（14）星期六我要见面我的中国朋友。

（15）在中国，我旅游过很多地方。

(16) 下午，我们出发校门口。

综合练习一

一 下列句中的动词重叠式表示哪一种意义：

A 短时 B 尝试 C 缓和语气 D 随便的意味

(1) 你在这里坐坐，他马上就来。（　　）

(2) 我一个人忙不过来，你来帮帮我吧！（　　）

(3) 在这里，老人们散散步，锻炼锻炼身体，感到心情很舒畅。（　　）

(4) 你来做做看，也许做得更好呢。（　　）

二 选择适当的动词填空：

(1) 李白（　　）中国唐代最著名的诗人。

(2) 车间里，一个工人也没（　　）。

(3) 照相机不（　　）我这儿，可能（　　）小王那儿。

(4) 中国在卫星发射方面，又（　　）了重大突破。

(5) 她遇到了麻烦，非常（　　）我帮助她。

(6) 快把这个好消息告诉他，让他（　　）。

(7) 这些年轻人都很（　　）理想，很（　　）才华。

(8) 星期天，（　　）网球，（　　）音乐，（　　）书，很自在的。

(9) 那辆车怎么还（　　）楼下？

(10) 那个商店里（　　）几件很精美的工艺品。

(11) 这几位客人都（　　）刚刚才下飞机的。

(12) 听说王力（　　）了，（　　）课后，我们去（　　）他吧。

三 用括号中的动词和提供的词语，组织完整的句子：

(1) （是）这   学习   计划

(2) （在）8 路汽车站   火车站

(3) （有）小伙子   才干

(4) （走走）我们   外面

(5) （爱好）她   集邮

(6) （希望）中国   汉语

(7) （参观）现代化   工厂

(8) （着想）别人

四 改正下列句子中不适当的地方：
(1) 过去他是过经理，现在只是了一般的职员。
(2) 中国跟许多国家都很有经济合作关系。
(3) 这份旅游计划是他起草。
(4) 他正好在着房间，你去找他吧。
(5) 他怎么到现在还不有打算？
(6) 我希望网球比赛。
(7) 这几位学者以前都在过美国学习。
(8) 一片绿色的草坪是立交桥下。
(9) 最好把这个房间收拾收拾整齐了再用。
(10) 晚上，大家在湖边说了说，笑了笑，唱了唱，一直到很

28

晚。

（11）时间不够了，他只好边吃吃饭，边复习复习。

（12）他非常决心实现自己的理想。

（13）那个展览他去看看过，好像不太好。

（14）下午，他要去机场送行朋友。

（15）我又有去北京的机会。

（16）歌曲的名字叫"忘他"，在中国较有名的流行歌曲。

五　用下列词语造句：

（1）很有

（2）觉得

（3）毕业

（4）做了做

（5）收拾收拾

<table>
<tr>
<td>

第二单元

形容词

</td>
<td>

　　形容词是表示性质和状态的词，它可以表示人和事物的性质、状态，也可以表示动作、行为的性质、状态。

　　表示人或事物性质、状态的：好、坏、差、优秀、伟大、正确、大、高、长、干净、漂亮

　　表示动作、行为状态的：快、慢、早、晚、多、认真、热烈

</td>
</tr>
</table>

第四课　　一般形容词句和形容词的重叠

一　一般形容词在句子里可以作谓语，有以下语法特点：

1　形容词可以直接作谓语，不需要用"是"连接。例如：

(1) 中国地域辽阔，物产丰富。

＊中国地域是辽阔，物产是丰富。

(2) 这件衣服样子很新。

＊这件衣服样子是很新。

2　大部分形容词可以受程度副词的修饰限制。例如：

很贵　　　十分漂亮　　　非常清楚

极好　　　特别认真　　　挺可爱

汉语形容词自身没有"级"的变化，要想表示程度变化，只能用加程度副词的方式。例如：

不太大　比较大　大　挺大　很大　非常大　极大

但是，有一类形容词不能受程度副词修饰。例如：

30

雪白　　瓦蓝　　笔直　　冰凉　　漆黑

血红　　碧绿　　滚圆　　焦黄　　煞白

这是因为这类形容词自身已经含有程度深的意义，它的前一个语素常含有某种比喻的意义。例如：

雪白 → 像雪那样白

冰凉 → 像冰那样凉

形容词单独作谓语，一般含有对照、比较的意味。例如：

(3) 这孩子人小志气大。 　　　　　　　（比较年龄和志气）

(4) 你汉语好，还是你说吧。 　　　　　（别人的汉语不如你）

(5) 外边凉快，咱们去外边吧。 　　　　（里边热）

如果没有暗示这种比较的意义，形容词前一般要加程度副词"很"。这时，"很"读轻声，不强调程度深。例如：

(6) 星期日，商店里人很多。

(7) 他最近很忙。

(8) 这件衣服很漂亮。

如果强调程度深，就要有意识地重读"很"。例如：

(9) 冬天这里很冷。

3　形容词的否定形式：

否定性质、状态，一般用"不"；不用"没"。

(10) 这本教材不难。（＊没难）

(11) 他回答得不清楚。（＊没清楚）

否定某种性质、状态发生变化时可以用"没"。形容词前常用副词"还"或句末用语气词"呢"。

(12) 我还没饱，想再吃点儿。

(13) 天没亮呢，再等一会儿吧。

4　形容词肯定形式和否定形式并列在一起时可以表示提问。

31

例如：

多不多？　　　高不高？　　　累不累？

暖和不暖和？　　　干净不干净？

双音节形容词也可以用只重复第一个音节的形式。例如：

漂不漂亮？　　　清不清楚？

聪不聪明？　　　热不热闹？

这种形式已经表示疑问，后面不必再用疑问语气词"吗"。例如：

＊对不对吗？　　　＊好看不好看吗？

5　形容词一般不能带宾语。例如：

＊合适了衣服　　　＊干净了房间　　　＊饱了肚子

但是，有的形容词兼有动词的用法，如：

端正了态度　　　繁荣了经济　　　方便了群众

这时，这类词都含有"使—"的意义，表示"使态度端正"、"使经济繁荣"，是动词用法，所以可带宾语。

二　形容词的重叠

一部分形容词有重叠形式。

1　重叠方式：

单音的：AA 式　　　　大大（的）　　　长长（的）

　　　　　　　　　　轻轻（的）　　　慢慢（的）

双音的：AABB 式　　　清清楚楚　　　明明白白

　　　　　　　　　　老老实实　　　整整齐齐

　　　　ABAB 式　　　雪白雪白　　　笔直笔直

　　　　　　　　　　碧绿碧绿　　　滚圆滚圆

　　　　（仅限于前一语素含比喻等描写义的形容词）

　　　　A 里 AB 式　　　胡里胡涂　　　土里土气

　　　　　　　　　　罗里罗嗦　　　傻里傻气

（这种重叠式的形容词为数很少）

此外，还有加重叠词缀的形容词。例如：

暖洋洋　　亮晶晶　　香喷喷　　乱哄哄　　绿油油

2　形容词重叠的语法特点和意义：

A　形容词重叠后，都有表示程度加深和加强描写的作用，所以不再接受程度副词的修饰。例如：

非常高　　　＊非常高高的
十分漂亮　　＊十分漂漂亮亮的
特别马虎　　＊特别马里马虎的

"红通通"一类重叠后缀的形容词也不能接受程度副词的修饰。例如：

太阳红通通的　　　＊太阳很红通通的

B　A 里 AB 式的重叠方式有厌恶、轻蔑的意味，只限于含有贬义的形容词。例如：

妖气——　妖里妖气（∨）
漂亮——　漂里漂亮（×）

这类形容词还有：

马虎　小气　拉杂　慌张　流气　土气　邋遢

C　不是所有的形容词都可以重叠，形容词能不能重叠主要是习惯问题。例如：

整齐 —— 整整齐齐　　　漂亮 —— 漂漂亮亮
整洁 —— ＊整整洁洁　　美丽 —— ＊美美丽丽
很方便——＊方方便便　　很严肃——＊严严肃肃

练　习　四

一　写出下列形容词的重叠方式：

白　　　　　　　长　　　　　　　低

焦黄	大方	热闹
糊涂	煞白	流气
暖和	痛快	漆黑
小气	整齐	滚烫
安静	血红	老实

二　将下列左右两侧可以组合的词语用线连接起来：

　　　　　　　　　　　　热

　　　　　　　　　　　　漆黑

很　　　　　　　　　　大大方方

　　　　　　　　　　　　整洁

非常　　　　　　　　　慌里慌张

　　　　　　　　　　　　累

十分　　　　　　　　　熟悉

　　　　　　　　　　　　亮亮的

特别　　　　　　　　　绿油油

　　　　　　　　　　　　通红通红的

　　　　　　　　　　　　冷淡

三　有些词可以有 AABB 和 ABAB 两种重叠方式，不同的重叠方式表示不同的意义。请根据下列句子的意思，将带·的词变成适当的重叠形式：

　　(1) 她们亲热地挽起了手。

　　(2) 让她们母女好好亲热。

　　(3) 他们在这里快乐地生活着。

（4）今晚去参加舞会，让心情快乐。

（5）你别老难过，也该痛快了。

（6）他痛快地答应了。

（7）教室里打扫得干净。

（8）来，洗个澡，好好干净。

（9）走，买件像样的衣服去，咱也漂亮。

（10）孩子们被打扮得漂亮（的）。

四　说出句中的形容词暗含的意思：
（1）外边风大，咱们还是到屋里去吧。
（2）我们班王芳唱歌好，让她去参加比赛吧。
（3）湖那边景色美，我们去那边吧。
（4）这间屋子大，就用它做会议室，怎么样？
（5）这本教材难，就用它吧。
（6）早上空气清新，出来运动运动特别舒服。

五　判断下列句子正误，并将病句改正过来：
（1）听了这话，他很高高兴兴地回去了。
（2）虽然她是年轻，但是她很有生活经验。
（3）这三个地方的风景都是很美丽。
（4）你们的业余生活丰富不丰富吗？
（5）我们看问题要更实际、更深沉一些。

（6）她马上动手，把屋子打扫得很干干净净。

（7）我觉得她说话的声音好听。

（8）他瞪着十分血红的眼睛，毫不让步。

（9）中国人民非常友好我国人民。

（10）这件毛衣没贵，买一件吧！

（11）南开大学的经济学院有名。

（12）这两天身体不舒服，吃饭总觉得不香。

（13）她是努力、用功，所以成绩也突出。

（14）城市很整洁，马路很宽、很笔直。

（15）他很仔细，花钱很小里小气的。

（16）他经过一段时间的疗养，终于健康了身体。

第五课　　形容词的修饰限制补充条件

形容词在句子中除了作谓语外，主要功能是修饰、限制、补充，即在句子中作定语、状语、补语。

形容词与中心语结合时，常常有一定的条件。

一　形容词作定语、状语、补语的限制条件

（一）作定语

1　单音节形容词一般中间不加"的"；少数双音节形容词（跟名词习惯性地搭配使用）中间也可以不加"的"。例如：

（1）这是我的新地址。

（2）把这些旧家具处理了吧。

（3）这是一段值得他骄傲的光荣历史。

（4）这个班十年来一直是我校的先进集体。

个别形容词如"多""少"等，不能单独用来修饰名词。要加上适当的程度副词，组成短语。例如：

＊　在中国，我有多朋友。

　　在中国，我有很多朋友。

＊　阅览室里少人，我们去那儿看书吧。

　　阅览室里人很少，我们去那儿看书吧。

2　多音节形容词除较固定的用法外，一般中间要加"的"。例如：

宽阔的天安门广场　　　牢固的关系

严肃的态度　　　　　　认认真真的样子

绿油油的麦苗　　　　　高高的个子

3 形容词词组作定语要加"的"。例如：

　　非常丰富的业余生活　　极其认真的样子

（二）作状语

1 单音形容词能作状语的只有几个。如：

　　多、少、早、晚、快、慢、新、大、轻

　　跟中心语搭配时，选择性很强，多数只选择单音动词。

　　例如：

　　大干　　早来　　多吃　　快跑　　轻放

▲做状语时不用"地"。例如：

　　（5）多干实事，少说空话。

　　（6）这些都是玻璃制品，一定要轻拿轻放。

　　（7）他可能晚来几天。

▲加强描写作用时，可以用"程度副词＋形"或重叠式。一般加"地"。

　　很慢地走　　　慢慢地走　　　＊慢地走

2 双音节形容词描写动作、变化的，用不用"地"较自由；而描写动作者的一般要用"地"。例如：

　　（8）大家把教室彻底（地）打扫了一遍。（动作）

　　（9）她把信仔细（地）读了一遍。　　　　（动作）

　　（10）老师激动地流下了热泪。　　（动作者）

　　（11）爷爷满意地点点头。　　　　（动作者）

　　　　＊爷爷满意点点头。

3 带词缀的形容词一般要用"地"。例如：

　　（12）老太太一个人孤零零地生活着。

　　（13）他傻里吧叽地站在那里，一句话也不说。

（三）作补语

1 单音、双音形容词都可以单独作补语。例如：

　　玩得开心　　　　　　收拾得干净

脸上布满了皱纹　　　　写清楚每一个字

形容词单独作有"得"为标志的补语时，常含有对照、比较的意味。例如：

（14）小李写得清楚。（别人写得不清楚）

（15）依我看，还是红队踢得好。（别的队不如红队）

没有比较意义，只作一般描写性补语时，前边一般要加程度副词。例如：

（16）他讲得很明白。

（17）孩子们穿得很漂亮。

2　单音或加词缀的形容词重叠后作补语时，后面要加"的"。例如：

（18）她把玻璃擦得亮亮的。

　　　＊她把玻璃擦得亮亮。

（19）他长得傻乎乎的。

　　　＊他长得傻乎乎。

二　非谓形容词

汉语里一般的形容词都可以作谓语，有一种形容词只能作定语，不能作谓语，这种形容词叫"非谓形容词"。例如：

男	女	正	副	银
彩色	初级	个别	国营	共同
主要	高档	西式	冒牌	人造

非谓形容词的特点：

1　不能用作谓语，只能用来修饰名词。例如：

彩色电视　　新式武器　　副教授　　西式服装

这家商店国营（×）　　　　他穿的鞋大号（×）

2　一般不能用"不"否定，大多可用"非"否定；大多不能用"很"修饰。例如：

非高档　　非新式　　非个别　　非主要　　非大型

不新式（×）　　　不个别（×）　　　　不大型（×）

很初级（×）　　　很冒牌（×）　　　　很主要（×）

3 跟一般的形容词一样，可以加"的"组成"的"字词组，作用相当于名词，可以作主语、宾语。例如：

这些产品都是冒牌的，质量很差。

＊这些产品都是冒牌，质量很差。

高档的放这边，低档的放那边。

＊高档放这边，低档放那边。

练 习 五

一　将下列左右两边的词语用线连接起来，每个词语只用一次（注意"的""地"的使用）：

短	月亮
热闹	学
圆圆	晚会
清清楚楚	小脸儿
随便	裤
容易	太阳
晚	答应了
红通通	人
痛快	听见
小里小气	品种
冰凉	躺在那里
舒舒服服	写点儿
个别	样子
优良	来一会儿

二 写出形容词性修饰语和补充语（注意"de"的使用）：

1 ＿＿＿＿＿校园　　2 ＿＿＿＿＿生活着

　＿＿＿＿＿样子　　　＿＿＿＿＿懂得

　＿＿＿＿＿感觉　　　＿＿＿＿＿看见

　＿＿＿＿＿生活　　　＿＿＿＿＿写着

　＿＿＿＿＿大海　　　＿＿＿＿＿驾驶着

　＿＿＿＿＿习惯　　　＿＿＿＿＿听着

3 做＿＿＿＿＿＿＿

　想＿＿＿＿＿＿＿

　回答＿＿＿＿＿＿

　研究＿＿＿＿＿＿

　睡＿＿＿＿＿＿＿

　长（zhang）＿＿＿＿＿＿＿

三 下列词语是修饰语，请补出中心语（注意"de"）：

老＿＿＿＿　　女＿＿＿＿　　方＿＿＿＿　　好＿＿＿＿

大＿＿＿＿　　快＿＿＿＿　　早＿＿＿＿　　多＿＿＿＿

红红＿＿＿＿　清新＿＿＿＿　非常美好＿＿＿＿

高高＿＿＿＿　好好＿＿＿＿　胡里糊涂＿＿＿＿

高档＿＿＿＿　西式＿＿＿＿　主要＿＿＿＿　国营＿＿＿＿

四 改正下列句子中不适当的地方：

（1）星期天，商店里总是多人。

（2）这几座楼的建筑都是西式。

（3）屋子里乱哄哄。

（4）她大大方方介绍着公司里的情况。

（5）小芳把手绢洗得白。

（6）他听得清楚，老师确实是这样讲的。

（7）在大家的帮助下，我快习惯了这里的生活。

（8）春风轻吹着。

（9）这几位代表是不正式，请你们给安排一下。

（10）地里的庄稼绿油油。

（11）他买了一双很新式的皮鞋。

（12）这个小子高高个子，方方脸，粗粗眉毛，大大眼睛，英俊。

（13）虽然工作中有多困难，但是我们一定会克服的。

（14）现在我忙，没有多时间给你写信。

（15）日本是"东浓西淡"，东京人爱吃浓，京都人爱吃淡。

第六课　　比较句

形容词是比较句中比较性状异同、程度高低的关键性词语。

汉语的比较形式基本有两类：比较的双方不同时出现；比较的双方同时出现。

比较的双方不同时出现，主要用于特定的语言环境中，未出现的一方能够被说话的双方所理解。例如：

> 他去的次数多。　　　　　他去的次数多一些。
>
> 他去的次数更多。　　　　　他去的次数最多。

在句中承担比较意义的主要是：

> 形容词单独作谓语
>
> 形容词＋表示数量意义的词语
>
> 表示比较意义的副词等＋形容词

比较的双方同时出现有多种方式：

一　"比"字句

1　由"比＋被比较的人和事物"构成介词词组，放在形容词或以形容词为中心意义的述补词组前。例如：

> （1）他比我高。
>
> （2）杰克汉语说得比我流利。
>
> ＊杰克汉语说得流利比我。
>
> （3）他比我跑得快。
>
> ＊他跑得快比我。

2　基本结构及其条件：

▲　比字词组＋谓词性词语

他的房间比我的大。

他比我爱学习。

▲ 比字词组＋形容词（＋得）＋形容词

他的房间比我的大得多。

他的房间比我的大多了。

表示比较差距大时，不能将表示程度非同一般的程度副词（很、最、非常等）放在形容词前，可以在形容词后加"多""远"等词表示。例如：

＊我的汉语比他很差。

我的汉语比他差得远了。

＊他的房间比我的非常小。

他的房间比我的小得多。

但是，表示程度"进一步"的意义时，可以在形容词前加上"还""更"等程度副词。

他的汉语比我的还好。

▲ 比字词组＋形容词＋数量词语

他的房间比我的大一点儿。

数量词语放在形容词后，补充说明数量，不能放在形容词前。

＊他的房间比我的两平方米大。

▲ 动词后边有宾语的话，可以有两种方式：

重叠动词：他骑自行车骑得比我快多了。

宾语提前：他自行车骑得比我快多了。

表示在哪方面比较的动词或比较其结果的形容词不能省掉。

＊他自行车比我快多了。

＊他自行车骑得比我多了。

此外，比较的一项内容一般不能省略，被比的一项相同的内容常常可以省掉。

他的房间比我的（房间）大。

44

＊他比我的房间大。

3　否定形式及其意义：

用"比"构成的比较句，多以肯定形式出现，如果否定的话，多用"没有"的形式。例如：

这件衣服比那件衣服漂亮。　（肯定）

那件衣服没有这件衣服漂亮。（否定）

"比"字前虽然可以加"不"进行否定，但是跟用"没有"否定，用法意义有差别。

"不比"对形容词的积极、消极色彩没有选择。例如：

大——小　　多——少　　便宜——贵　　容易——难

高——低　　快——慢　　长——短　　　重——轻

我的房间不比你的大。　　我的房间不比你的小。

而"没有"一般是有选择的，它一般选择带有积极色彩的形容词。例如：

我的房间没有你的大。　　＊我的房间没有你的小。

我跑得没有你快。　　　　＊我跑得没有你慢。

有时用"不比"否定，是为了强调句中形容词反义的肯定意义。例如：

这个商店商品的价钱不比日本低多少。

意思在于：日本的商品贵，这个商店的商品也贵。

再如：（对话环境）

A　这件衣服真是又好看又便宜啊！

B＊那件也好看，可是不比这件便宜。

那件也好看，可是没有这件便宜。（对那件否定）

那件更好看，价钱不比这件贵。（对那件肯定）

（"贵"的反义——便宜的肯定形式，即那件便宜）

用"不比"否定时，有时含有辩驳的语气。例如：

我不比他笨，我怎么就不能参加比赛了？

45

（谁说我做的菜比他差），我做的菜不比他差嘛！

其中隐含着反驳别人认为我比他笨、我做的菜比他差等意思。

否定词的位置：否定词不能放在形容词前。

＊这件衣服比那件衣服不漂亮。

＊这件衣服比那件衣服没有漂亮。

二 "有"字句

1 基本结构：

有＋名词性词语（＋那么）＋形容词性词语 例如：

（1）这孩子已经有爸爸那么高了。

（2）他车开得没有我快。

"有"表示达到某种标准或程度的意义，所以后面的形容词前常常配有"这么""那么""这样""那样"等词语，有时，这类词语可以省略。

2 否定形式："没"或"没有"

（3）我没他那么会说。

（4）他汉语说得没有我好。

（"没有""不比"的比较见前）

三 跟（同、和）……（不）一样（不同）

1 基本结构：

跟＋名词性词语＋一样＋谓词性词语 例如：

（1）父亲跟儿子一样高。

（2）他跟我一样，都喜欢吃辣的。

这是一种比较异同的句型，所以句中一定要明确是比较哪一方面的异同。

"一样"是形容词。表示"几乎一样"的意义时，还可以用"差不多"表示。

（3）他的汉语跟我差不多。

"一样"前可以接表示接近或不够"一样"的词语，如："差不多""几乎""不太"等。但是不能接程度副词。肯定各方面一样时，可以用副词"完全"。

（4）他长得跟我差不多一样高。

（5）我们俩跑得几乎一样快。

（6）他们俩的性格不太一样。

＊他长得跟我非常一样。

＊我们的房间很大一样。

（7）这两幅画儿完全一样。

"A＋跟＋B"部分还可以用复数意义的词语表示。例如：

（8）我们的房间都一样大。

"一样"后面不能连带名词性词语；比较的内容放到"一样"前面。例如：

＊ 这两本书一样内容。

这两本书内容一样。

2 否定形式：

用"不"否定"一样"，表示不同。表示完全"不一样"时，可以在"不"前加"完全""根本"等副词。例如：

（9）这两件衬衫颜色不一样。

（10）这两个句子的意思完全不一样。

不能用"不"否定"跟"。

＊ 这本书的内容不跟那本书一样。

四 不如

否定意义的比较，表示"比不上"的意义。

基本结构：

　　　　A＋不如＋B＋谓词性词语

例如：

  （1）这张照片不如那张（照片）好。

  （2）他跑一百米不如我跑得快。

比较的方面一定要清楚、明白。

  他不如我。（不清楚哪一方面）

可以具体比。例如：

  人品 他不如我好。

  身材 他不如我高。

  相貌 他不如我漂亮。

句中的形容词一般是具有积极意义的：

  好 高 大 漂亮 清楚 流利

一般不用消极意义的形容词：

  坏 矮 小 丑 糊涂 结结巴巴

五　越来越……；越……越……

 △同一事物不同时期的比较，程度随着时间发展。

 △同一事物不同条件的比较，程度随着条件发展。

基本结构：

▲ 越来越＋形容词（＋了）

▲ 越＋谓词性词语，越＋谓词性词语 例如：

  （1）天气越来越热了。

  （2）他跑得越来越快了。

  （3）她心里越紧张，越说不出话来。

  （4）小红越长越漂亮。

  句中表示性状的形容词已经含有程度的意义，是肯定了以前程度高，现在更高的意义，所以不再接受表示程度意义的词语。

  ＊ 天气越来越十分热了。

  ＊ 天气越来越热多了。

48

＊　阳光照射越很多，地面就越很热。

"越来越"表示的是发展、变化的意义，句尾常常加"了"。

　　（5）他汉语说得越来越好了。

"越……越……"必须两个"越"配合使用，不能只用一个。

＊　阳光照射越多，地面就更热了。

练　习　六

一　用下列词语造比较句：

　　（1）比

　　（2）不比

　　（3）有

　　（4）没有

　　（5）跟……一样

　　（6）跟……不一样

　　（7）不如

　　（8）越来越……

二　根据句子内容，在＿＿＿上填上适当的跟比较有关的词语：

　　（1）这里的门票＿＿＿日本便宜多少。

　　（2）这个服务员的态度＿＿那个好＿＿了。

　　（3）"长（zhang）""长（chang）"两字写法＿＿，念法＿＿。

　　（4）这个傻小子＿＿他爸爸＿＿＿笨。

　　（5）这个房间＿＿我的房间小，怎么显得那么拥挤？

　　（6）她显得＿＿＿成熟＿＿。

　　（7）现在的孩子学习太累，虽然＿＿我小时候生活条件好了
　　　　不少，却＿＿＿我那时＿＿＿轻松快乐。

　　（8）我学汉语时间＿＿他长，却＿＿＿他说得好。

（9）我＿＿＿＿他差，他能去，我为什么不能去？

（10）在跟别人交往方面，我还＿＿＿＿小李呢！

（11）在现代社会里，学交往＿＿＿学知识＿＿＿难。

（12）他的历史知识丰富极了，我＿＿＿他可＿＿＿远了。

（13）坐公共汽车＿＿＿＿骑自行车方便，还是骑自行车吧！

（14）北京饭店条件好，这里简单了点儿，＿＿＿＿那里舒服。

（15）（ABC 三人，A 身高 1.81 米，B1.80 米）

C：B 长得真高啊！

A：是啊，好像（　　　）我矮。

三　改正下列句子中不当的地方：

（1）他对我越来越很高要求。

（2）这里的新鲜蔬菜，比我们国家的太多。

（3）听说别的国家的情况也这里一样。

（4）那部电影不如这部电影那么没有意思。

（5）秋天到了，天气越来越凉快多了。

（6）我觉得黄山的风景比别的名山特别美。

（7）我的翻译水平比其他人不高。

（8）我比他来早半个多小时。

（9）今年比去年接待游客多了一倍。

（10）水上公园是挺大挺美，可是颐和园比水上公园最大最美。

（11）在中国学习了一年多，我的汉语水平比以前很多。

（12）大家都很喜欢长城，阿里比大家最喜欢长城。

（13）在中国，手工制作的东西比机器制作的东西很便宜。

（14）中国有些节日跟我们国家一样习俗。

（15）在这一方面，我们两国的习惯很一样。

四　根据文中内容，选择适当的比较形式，将可比的人和事
　　物进行比较：

　　1　王丽买了两米绸子，做了一件漂亮的连衣裙。张红看到
了，觉得很好，也去买了两米那种绸子，想做条连衣裙。可是，最
后只做了条裙子。张红很奇怪：咱们都是两米绸子，你能做连衣
裙，我怎么却只能做裙子呢？王丽笑着说："买多少布料是根据身
材决定的，你又高又胖，我又瘦又小，怎么能一样呢？"

　　2　春节是中国最重要的传统节日。每到春节来临，人们总
要忙着做各种准备：大扫除、写春联、买鞭炮、做新衣、备年货、
包饺子。在外地的亲人都要赶回家来，跟家里人团聚。节日期间，
还要举行各种文化娱乐活动；家家户户放鞭炮、吃年饭、走亲访
友，十分热闹。

综合练习二

一　下列词语可以有哪些重叠方式？请写出来。有两种重叠
方式的词语，重叠后有什么不同？

　　　　红　　　　　　　　　　直
　　　　舒服　　　　　　　　　马虎
　　　　干净　　　　　　　　　瓦蓝
　　　　漂亮　　　　　　　　　牛气
　　　　奇怪　　　　　　　　　麻烦

二　下列哪些词语可以接受"很"的修饰？可以的画"√"，不可
以的画"×"：

　　　（　）雪白雪白　　　（　）黄澄澄　　　（　）忙
　　　（　）美丽　　　　　（　）高档　　　　（　）金
　　　（　）白白的　　　　（　）绿　　　　　（　）结结实实

（　）彩色　　　　　（　）老实　　　（　）慌里慌张

三　选择适当的形容词填空（词语不能重复，注意"的"
"地"的使用）：

(1) 这个工厂的产品已经达到世界_____水平。

(2) 只要他_____学习，就能够学会_____知识。

(3) 他那_____衣着，_____态度，_____举止，
给人们留下了很_____印象。

(4) 她_____问这问那。

(5) 孩子们都穿得_____。

(6) 他非常_____帮我检查了一遍机器。

(7) _____天空上飘着几朵_____云彩。

(8) 孩子们划着_____木船，你追我赶，玩得_____极了。

四　用括号中的词语改写句子：

(1) 这个故事情节简单，那个故事情节复杂。　　（比）

(2) 这本古代寓言没意思，那本小说有意思。　　（不如）

(3) 她从前爱跳舞，现在仍然爱跳舞。　　（跟……一样）

(4) 他的身体以前很健康，现在常常生病。　　（没有）

(5) 这儿是比较吵闹，可是那儿也不安静。　　（不比）

(6) 专家们对这个项目的研究一天比一天深入了。

（越来越……）

（7）环境艰苦，可以磨练人的意志。　（越……越……）

五　改正下列句子中不适当的地方：

（1）节日里，公园里的人比平日很多。

（2）这些家具不新式，别买。

（3）你们的想法跟我们的很一样。

（4）海水冰凉冰凉，不能游泳。

（5）我们学校比他们学校两千人多了。

（6）我的外语不太好，在国外生活遇到多麻烦。

（7）他比我的驾驶技术不高明。

（8）他那高的水平的设计十分引人注目。

（9）王力和李明一样兴趣。

（10）大家一起动手，一会儿就整齐了会场。

（11）他的志趣不跟我一样。

（12）通往北京的高速公路非常笔直。

（13）他待朋友不如我小气。

（14）中国经济的发展越来越很迅速。

六　根据下列文中内容，选择不同的比较方式将可比的事物进行比较（最少写五个不同类型的比较句）：

春节是中国最重要、最古老的节日，早在上古时代就开始了这一节日活动。春节期间常常举行一系列的民俗活动：请神、放鞭炮、吃团圆饺子、拜年、送神、宴请等等，热闹非凡、盛大而隆

53

重，非常典型地表现了中国的历史文化。

　　八月十五中秋节也是中国民间很重视的节日，但起源较晚，大概源于唐代，有观赏明月吃月饼的习俗。秋天天高气爽，八月十五月亮大而明亮，景色极美，月宫神话又可以引起人们无限想象，因而中国人民十分喜爱这个节日。

第三单元

数词和量词

数词是表示数目的词。量词是表示事物或动作数量单位的词。汉语数词量词常常结合在一起使用。

第七课　数　　词

数词是表示数目的词。分为基数、序数两大类。

基数：表示数目大小的词。如：一、二、三、四、五等。
　　　　其中又包括整数、分数、小数、倍数、概数等。

序数：表示次序先后的数词。如：第一、第二、第三等。

一　整数

整数的系数词：零 一 二 三 四 五 六 七 八 九 十 两

位数词：　　　个 十 百 千 万 十万 百万 千万 亿

读数：系数词、位数词结合起来，系数词在前，位数词在后。

例如：

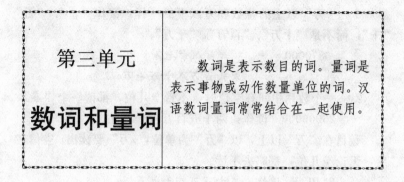

读数时注意：

1 "万"以上的位数和万以下的一样，读作"十"、"百"
"千"，而不是"十万"、"百万"、"千万"。

6870000 → 六百八十七万

＊六百万八十万七万

2 一个数列中间有空位时，不管空几位，都读一个"零"。

25006009 读作：两千五百万六千零九。

数目在"万"以上，以"万"为单位，"万"要读出；空位在
后，无论空几位，都略去不读。

254900 读作：二十五万四千九百

430000 读作：四十三万

3 电话号码、房号、年号习惯上只读系数，不读位数。"1"习
惯上读成"yāo"。如：

3501688 → 三五零 yāo 六八八

415 房间 → 四 yāo 五房间

4 "二"和"两"

▲单个数用于量词前，用"两"：两把伞、两个人、两瓶酒
两位以上的数目，用"二"：十二棵、四十二个、六十二台。

＊十两棵 ＊六十两台

▲度量衡单位量词前，一般用"二"：二寸、二斤、二亩地。
有些新的度量衡单位量词也可用"两"：两米、两公斤等。

▲以"2"开头的"千""万""亿"数目，"2"读"两"。

2587 读作：两千五百八十七

26734 两万六千七百三十四

二 分数、小数、倍数

1 分数

通常用"×（分母）分之×（分子）"表示。如：

二分之一 三分之二 五分之四

56

十分之一　　　　百分之一　　　　千分之一

2　小　数

将小数中的"·"读作"点";小数以前的部分跟一般称数法一样,小数以后的部分,只读系数词,不读位数词。

0.5　　　→　　零点五

246.7308"　→　　二百四十六点七三零八

3　倍　数

在数词后加上量词"倍"。如:5倍。

要注意的是:

▲"是……×倍"————包括原有数

"增加了×倍"————不包括原有数　例如:

原有五本书,又买来十五本书,增加了三倍;现有书是原有书的四倍。

▲倍数一般用于"大于"或"增加"

分数一般用于"小于"或"减少"。例如:

去年产值3万元,今年增加产值两倍。

上个月产量是3万吨,这个月减产三分之一。

三　概　数

表示一个大概的数目。主要有以下三种表示方法:

A　数字连用:

△相邻的两个数:

两三个　十一二件　三四十张　三百六七十里

一千五六百本　三四千人　两三万吨　四五百万人

数字的排列一般是从小到大,从大到小的排列只限于"三两",含"少"的意义。

"九"和"十"、"十"和"十一"不能连用。

△不相邻的两个数:

只限于"三五"和"百八十"。如：三五天、百八十人

B　数（量）词后加上表示概数的词语：

常用的有："来""多""把""左右""前后"
　　　　　　"上下""以上""以下"等

来：　表示接近前面数词表示的数字。有两种情况：

　　△数词（1、2……9）＋连续量词＋来＋名词　例如：

　　　　三个来小时　　六里来路　　五斤来米

　　　＊三来个小时　＊六来里路　＊五斤米来

连续量词包括：斤、两、尺、寸、年、天、元、角等

数词为"10"时，"来"可在量词前，也可在量词后。

例如：十斤来肉、十来斤肉

　　但是意义有差别：

　　十斤来肉——十斤是确切数，"斤"后边的连续量"两"等是
概数。

例如：

　　　　　十斤二两肉——十斤来肉

　　十来斤肉——"十"是概数。例如：

　　　　　十一斤肉——十来斤肉

　　△数词（以"0"结尾）＋来＋各种量词＋名词　例如：

　　二十来年　二百来斤　十来个人　四十来本书

　　　＊二百斤来　＊十个来人　＊四十本书来

多：　表示略多于前面数词表示的数字。

　　△数词（1、2……9）＋连续量词＋多＋名词　例如：

三尺多布　四块多钱　两年多时间

　　△数词（以"0"结尾）＋多＋各种量词＋名词　例如：

二十多个　三百多棵　五千多吨

　　　数词为"10"时，其用法跟"来"用于"10"时相同。

　　把：　只用在位数词"百""千""万"和某些量词之后，

58

不用系数词，但表示"一"的意思。例如：

百把人—— 一百来人；个把人—— 一、两个人

个把月——一个来月；块把钱—— 一块来钱

前后： 只用于表示时间——时点的概数，时点不限于数字。
例如：六点半前后　元旦前后　二十号前后

左右、上下： 表示与实际数值相差不多。"左右"更常用。
例如：一个月左右　二十公斤左右　八十岁上下

＊一个左右月　　　＊二十左右公斤

以上、以下：用在数词后，表示下限或上限。例如：

一百以上——下限是"一百"

C　"几""两"活用表示概数

几： 本来是疑问代词，有时它并不表示疑问，只表示不确
定的数目。例如：

（1）院子里有几个孩子。

（2）春假期间，我想去看几位朋友。

"几"所表示的概数一般是在"十"以内。
有时"几"表示的数目不限于"十"以内，主要表示少。例如：

（3）刚学了几句英语，就想做翻译，真是笑话！

（4）你的知识真渊博，一定读了不少的书。

　　——哪里，哪里！没读几本。

两： 本来是"2"的数目，活用以后，表示不确定的数目。
例如：

（5）这两天，小王有点儿不舒服。

有时用"两"也表示少的意义。例如：

（6）看了这么半天，才买了这么两本。

（7）上课时间都过了，才来了这么两个人。

四 序数

序数是表示次序的数词。基本表示法是在基数词前加"第"。

例如： 第一天　第二次　第五周　第三位

但是，还有不少情况下，表示序数不用"第"。主要有：

年代：一九九〇年、一九九一年

月份：一月、二月……十二月

日期：一号、二号……三十一号；阴历初一……初十

等级：一等、二等……；一级、二级、三级

亲属排行：大哥、二哥……；大伯、二伯……；二姨、三姨

楼房层数：一层、二层；一楼、二楼

车辆班次：头班车、末班车；8路、15路；301次、79次

组织机构：三年级一班、二班；三组、四组；一厂、二厂

练 习 七

一　读、写下列数字：

  （1） 236   25806

      3600000   90075002

      1/1000   2/3

      50％   95％

      3.1416   0.096

  （2）二十三万四千   一千零九十

    七十八点六零六   百分之三十

    三千二百一十二万零一

  ·一亿四千六百五十六万三千二百一十七

二　用概数表示下列数字（表示方法尽量不重复）：

6 斤 7 斤　　　　　20 本 30 本

200 米——300 米　　　39 岁

3 天——5 天　　　　　80 人——100 人

98 台——102 台　　　112 棵

36 个——39 个　　　　3 小时零两分钟

30 天——32 天　　　　9 号——11 号

三　用"二"或"两"填空：

（　）千人　　（　）米多　　二十（　）个班

（　）斤　　　（　）分之一　三、（　）个人

（　）个人　　（　）条裤子　十一、（　）支笔

（　）倍　　　（　）篇文章　（　）百来块钱

四　判断选择：

(1) 你怎么就写了这么几个字。

　　A 九个以内　B 很少很少　C 一、二十

(2) 别着急，他三两天就回来了。

　　A 短时间内　B 两天或三天　C 长一点儿时间

(3) 六十岁以上的人就不要去参加劳动了。

　　A 六十多岁　B 不到六十岁　C 六十岁

(4) 借这个机会我给大家说两句。

　　A　两句　　　B　少量的话　　C 两句以上

(5) 你等等，再有个把小时就完了。

　　A 一个小时左右　B 不到一个小时　C 几个小时

(6) 等一会儿再开车，还少十来个人呢！

　　A 十个人　　B 九——十二人　C 十六、七个人

五　改正下列句子中不适当的地方：

（1）这个池塘去年打捞养殖鱼一万斤，今年只有五千斤，减产一倍。

（2）王力用了一月的时间去南方旅游了一圈。

（3）大娘，您今年几岁了？

（4）明明病了，有三、两天没来上学了。

（5）图书馆上个月进图书三百册，这个月进了九百册，这个月比上个月多进三倍。

（6）春节左右，他想回老家一趟。

（7）我有十个来中外朋友。

（8）他每月工资有一千块多钱。

（9）我已经在这里学习八个左右月了。

（10）我两个朋友的年龄都是二十多左右岁。

（11）这个城市很小，只有二十二多万人。

（12）她找了十三、十四多天，才找到。

（13）我已经攒了一万、二万块钱了，可以买电脑了。

（14）这个礼堂可以坐二千左右人。

第八课 量 词

量词是表示人、事物或动作数量单位的词。分为名量词、动量词两大类。

一 名量词

汉语的数词一般不能直接与名词连用，中间要有量词。例如：

　　一桌子×　　　　三房间×　　　　两心×

　　一张桌子√　　　三个房间√　　　两颗心√

（一）专用名量词

　　包括个体量词、集合量词、度量词、不定量词等。

1　个体量词：用于个体人或事物。

▲　名词对这类量词的选用常常是特定的，不能随便使用。

例如：一匹刀×　　　一条山×　　　一把床×

　　　一把刀√　　　一座山√　　　一张床√

▲　有些量词跟名词有意义上的联系。例如：

条	长条物、可弯曲	毛巾、领带、蛇、路、河
张	平面或展开物	床、桌子、纸、照片、嘴
把	有把柄的器具	刀、椅子、扇子、伞、壶
根	细长物（多为生物）	头发、草、棍子、竹子、黄瓜
颗	颗粒物	珠子、心、星、子弹、珍珠
粒	小颗粒物	种子、砂子、米、花生
滴	液体滴落物	眼泪、水、汗、酒、油
本	装订成册物	书、词典、杂志、地图
棵	植物	树、草、花、白菜、

座　大而固定物　　　　山、桥、楼房、塑像、水库

支　直硬细长的非生物　钢笔、笛子、蜡烛、香、枪

▲　"个"的使用范围最广，可以跟许多名词连用。例如：

一个人　　　一个炒菜　　　一个工厂

一个相机　　一个想法　　　一个习惯

但是，也不能一律用"个"。如果一律用"个"，既不符合汉语习惯，也失去了量词的色彩和形象性。例如：

少色彩：　一个学生　　一个老师　　　一个记者

少形象：　一个刀　　　一个眼泪　　　一个词典

2　集合量词：用于由两个以上个体组成的事物。例如：

双　　一双手　　一双袜子　一双筷子

副　　一副手套　一副对联　一副眼镜

对　　一对夫妻　一对花瓶　一对鸽子

套　　一套房子　一套家具　一套纪念邮票

群　　一群孩子　一群牛　　一群人

批　　一批货　　一批学生　一批书

伙　　一伙歹徒　一伙流氓

3　度量词：度量衡的计算单位。

长度：　分、寸、尺、丈、里、厘米、分米、米、公里

容量：　毫升、升、公升

重量：　钱、两、斤、克、公斤、吨

面积：　分、亩、公顷、平方寸、平方尺、平方米

体积：　立方厘米、立方分米、立方米

4　不定量词：表示不定的数量。

有两个：　　些　　点儿

▲　跟数词结合时，只能跟"一"结合。

如：一些、一点儿（两些×　两点儿×）

也可以不跟数词结合。

64

如：　来了些人　　　　买点儿苹果

▲　"些"表示的数量比"点儿"大。"些"前可以加"好"表示数量多；"些"后的量词多省去不用。如：

有好些事要做　　　　他有好些书

此外，还要注意"一点儿"和"有点儿"在句中位置上的差别。"有点"是副词，出现在谓词性词语前，"一点儿"是数量词语，多出现在谓词性词语后或修饰名词性词语。例如：

（1）这件衣服有点儿大。（＊一点儿大）

（2）这件衣服大了点儿。（＊大了有点儿）

（3）周围一点儿声音也没有。

（二）　借用名量词

指某些名词临时被用作量词。例如：

碗　　　一碗米饭　　　　瓶子　　　一瓶子水

桌子　　一桌子饭菜　　　屋子　　　一屋子烟

身　　　一身西装　　　　腿　　　　一腿泥

有些名词与"一"连用，后面还可以加"的"。例如：

流了一地（的）水　　　　出了一脸（的）汗

灌了一肚子（的）啤酒　　摆了一桌子（的）照片

看了一假期（的）书　　　唱了一路（的）歌

这里"一"不表示数目，而表示"满"、"整个"的意思，有描写的作用。

二　动量词

表示动作单位的量，在句中主要做补语。

（一）　专用动量词

主要有：　次、回、趟、遍、下、顿、阵、场、番

例如：

（1）这个电影我已经看过两次了。

（用于反复出现的动作）

（2）这个故事他听过三回了。

（同"次"，口语色彩更浓）

（3）他去了趟上海。

（用于来回行走的动作）

（4）把设备仔细检查一遍。

（从开始到结束的整个过程）

（5）帮我把桌子抬一下。

（较短、较轻微的动作）

（6）爸爸狠狠打了他一顿。

（用于吃喝、言语活动、打骂等）

（7）刚才刮了一阵大风。

（用于骤发的、较短时间的情况）

（8）剧团连续演了三场京剧。

（完整的一次，多用于文体活动）

（9）他认真地研究了一番。

（多用于费时、费力的事情）

（二）借用动量词

把动作行为所凭借的工具或人体部位，临时借用为量词。例如：

打了一针　　　　咬了一口

画了一笔　　　　看了一眼

砍了一刀　　　　打了一巴掌

练 习 八

一　填空：

（1）　用个体量词填空：

66

两（　）椅子　　一（　）帽子　　几（　）花

三（　）论文　　一（　）屋子　　两（　）信

一（　）绸布　　几（　）星星　　一（　）针

几（　）石子　　一（　）围巾　　两（　）剪子

(2)　用集合量词填空：

一（　）东西　　两（　）西服　　一（　）学生

几（　）筷子　　一（　）信封　　一（　）房子

一（　）眼镜　　一（　）恋人　　一（　）流氓

(3)　用度量词填空：

几（　）苹果　　两（　）布　　身高一（　）六

十（　）路　　几（　）地　　十（　）的屋子

(4)　用借用名量词填空：

三（　）牛奶　　一（　）客人　　一（　）泪水

一（　）东西　　两（　）书　　一（　）新衣服

一（　）汗　　一（　）画儿　　五（　）糕点

(5)　用专用动量词填空：

下了（　）雨　　参观了一（　）　　刮一（　）大风

吃了（　）西餐　　去了（　）北京　　批评了一（　）

(6)　用借用动量词填空：

看了一（　）　　踢了一（　）　　吐了一（　）

切了一（　）　　射了一（　）　　剪了一（　）

二　判断选择填空：

(1)　几（　）老先生正在研究这个专题。

　　　　a　个　　　　b　位　　　　c　群

(2)　草原上一（　）马奔驰而来。

　　　　a　帮　　　　b　伙　　　　c　群

(3)　今天客人这么多，刚走了一（　）又来了一（　）。

　　　　a　帮　　　b　批　　　c　群

(4)　有好（　　）问题，他自己也解决不了。

　　　　a　系列　　　b　点儿　　　c　些

(5)　那是她刚买来的两（　　）新手套。

　　　　a　副　　　b　对　　　c　双

(6)　她妈妈住院了，她每天至少要往医院跑两（　　）。

　　　　a　下　　　b　趟　　　c　遍

(7)　那（　　）饭店的几个拿手菜很有特色。

　　　　a　座　　　b　所　　　c　家

(8)　这（　　）邮票一共五张。

　　　　a　套　　　b　副　　　c　张

(9)　我（　　）累了，咱们稍稍休息（　　）吧！

　　　　a　一点儿　b　一会儿　c　有点儿

(10)　这本教材（　　）难，换本容易（　　）的吧。

　　　　a　好些　　　b　一点儿　　　c　有点儿

三　根据句子的意思，用借用量词构成适当的数量词组重新
　　进行表述：　　例：

　　肚子里装满了水。→ 喝了一肚子水。

　　(1)　他从上到下穿的全是新衣服。→

　　(2)　地上到处撒满了水。→

　　(3)　把暖水瓶装满了水。→

　　(4)　桌子上摆满了礼品。→

　　(5)　用斧头砍了两下木头。→

　　(6)　书包里塞满了东西。→

　　(7)　用花盆种了一棵花。→

　　(8)　缸子里养了很多金鱼。→

68

四　改正下列句子中不适当的地方：

(1) 他肚子疼，吃了几个药，一点儿好了。

(2) 这所立交桥共有三个层。

(3) 他们之间发生了有些矛盾。

(4) 为了抢救伤病员，白求恩大夫连续几个夜不休息。

(5) 对这些人生大事，我一些明白了。

(6) 来这里三月以后，我渐渐习惯了这里的生活。

(7) 这些一册风景照是朋友送给我的。

(8) 这座旅游公司有二十五六大客车。

(9) 他们每个学期写两个篇文章。

(10) 通过这两个失败，我真正懂得了实践的重要。

(11) 这些照片有的张照得好，有的张照得不好。

(12) 听朋友说，那片电影很有意思。

(13) 天气一点儿冷，所以她又加了一条毛衣。

(14) 他已经三次来中国了。

(15) 很快我们俩就成了个好朋友。

第九课 量词词组、数量词重叠、时间表示法

一 数量词组、指量词组

1 数词、量词结合在一起使用的词组叫"数量词组"。例如：

　　　　两把钥匙　　一家商店　　走一趟　　一些礼品

数词为"一"时，常常可以省掉不说；有时是为了不突出"一"而故意不说。例如：

　　　　上了趟街　　买张车票　　看场电影　　穿了套西装
　　　　来　大家喝杯热水暖暖身子故意不说）

"（数词＋量词）＋表人名词"时，后边不能再加"们"。例如：

　　　　五位老师　　→　　五位老师们　　（×）
　　　　十几个孩子　→　　十几个孩子们（×）

量词前还可以用指示代词"这""那""哪"，构成"指量词组"。例如：

　　　　这所房子　　那群人　　　哪次看到的

2 数量词组中间一般不能插入别的成分。

　　　　一大座桥（×）→　一座大桥
　　　　一高匹马（×）→　一匹高马

但是，有几种情况，数量词组之间可以插入其它成分：

A　个体量词后的名词所表示的事物是可以再分割的，可插入"大""小"这两个形容词。

　　　　一大块面包　　两小片牛肉　　三大张纸

B　有些超过"二"的集合量词也可以受"大""小"等词的

70

修饰。

　　　　一大群人　　　一小批货　　　一长排椅子

C　借用量词因本来是名词，所以可以用形容词修饰。

　　　　三大碗汤　　　一满杯酒　　　一小包衣服

二　数量词重叠

1　数词"一"可以重叠，表示"逐一"的意思，在句中做状语。例如：

　　（1）我把这里的情况一一向大家做了介绍。

　　（2）对大家的提问，他一一做了回答。

2　单音量词一般都可以重叠。重叠后，根据它在句中所充当的成分而表达不同的意义。例如：

　　（1）过春节的时候，家家户户都放鞭炮。

　　　　　　　　　　　　　（做"主语"，表"每一"）

　　（2）这几年粮食年年都是大丰收。

　　　　　　　　　　（时间词做"状语"，表示"每一"）

　　（3）天气突变，刮起了阵阵狂风。

　　　　　　　　　　　　　（做"定语"，表示"多"）

　　（4）会场里掌声阵阵。

　　　　　　　　　　　　（作谓语，表示"多"）

　　（5）敌人步步紧逼，战士们毫不畏惧。

　　　　　　　　　　　　（作状语，表示"逐一"）

3　数量词组也可以重叠

A　表示"多"，重在描写。表达此种意义时必须重叠。

　　（1）一支一支的救援队伍奔向灾区。

　　（2）空中闪烁着一簇簇五彩缤纷的焰火。

B　表示"一接着一地"，作状语，描写动作方式或量多。此种用法，必须使用重叠式。

（3）他仔细地一笔一笔地画着。（＊一笔地画着）

（4）小汽车四辆四辆地通过这里。（＊四辆地通过这里）

（5）她一遍一遍地嘱咐我，生怕我忘了。（＊一遍地嘱咐我）

三 时间表示法

（一）有些名词可以直接跟数词连用，相当于量词。如：

年 星期 天 夜 小时 分（钟） 秒

除"星期""小时"前可加量词"个"外，其它一律不能加量词。如：

三个年（×） 五个天（×）

一个夜（×） 十个秒（×）

（二）时点表示法

点钟 点 刻 分 秒 （吃饭等）时

早上 中午 傍晚 晚上 半夜 凌晨等

×号 星期× ×月 （去/今/明等）年

（昨/今/明等）天 （上个/这个/下个等）月

以前 以后（课等）前/后（三天等）之前/之后

表示概数的有： 前后 左右

疑问方式： 什么时候？ 什么时间？ 几点？等

如：现在什么时候了？——已经半夜了。

什么时间了？——下午三点半了。

（三）时段表示法

小时 钟头 刻钟 分钟 秒钟

数（量）词＋上午（晚上、夜、天、星期、学期等）

注意

1 "数词＋月（月份）"与"数量词＋月"的区别：

前者表示某一月份，是时点：　一月　五月　十月

后者表示一段时间，是时段：　一个月　　三个月

2　"小时"与"钟头"的区别：

"小时"是名词兼量词；"钟头"只是名词。所以"小时"可以说"一小时"，也可以说"一个小时"；"钟头"只能说"一个钟头"。

3　"半"的使用

一个半小时（时段）——＊一半小时　＊一小时半

一点半（时点）　——　＊一半点

"左右""一会儿"可以表示时段的概数：

一个小时左右　　看了一会儿

"左右""前后"的区别：

"左右"既可表时点，又可表时段；"前后"只表时点；"左右"表时点时，只能用于数量词后，不能用于名词后，"前后"可以用于名词后。如：

五点左右　　五个小时左右　　＊元旦左右

五点前后　＊五个小时前后　　元旦前后

疑问方式：多长时间？多少时间？

例如：　这学期有多长时间？——五个半月。

从这儿到火车站用了多少时间？——三十分钟。

练　习　九

一　选择填空：

（1）　他一（　　）认真地检查着机器的各个部件。

　　　　a　遍　　　　b　遍遍　　　c　次

（2）　一（　　）往事浮现在他眼前。

　　　　a　遍遍　　　b　个个　　　c　件件

(3)　台下响起一（　　）雷鸣般的掌声。
　　　a　场场　　b　阵阵　　c　顿顿
(4)　这些姑娘们，（　　）都很有出息。
　　　a　个个　　　b　一个　　c　一位
(5)　这个车间（　　）完成生产任务。
　　　a　一年　　　b　年年　　c　每年
(6)　天气一（　　）暖和起来了。
　　　a　天　　　　b　次次　　c　天天
(7)　他在船上呆了（　　　　　）。
　　　a　两天一夜　b　两个天一个夜　c　两白天一夜晚
(8)　我写了（　　　　　），才把这封信写完。
　　　a　两半小时　b　两个半小时　c　两小时半
(9)　（　　　　　），我们找个时间聚一聚，好不好？
　　　a　春节左右　b　前后春节　c　春节前后
(10)　起草这份计划你用了多长时间？——（　　　　　）。
　　　a　半夜　　　b　半个晚上　c　半个夜

二　将句中的时间改用时段的方式重新组织句子：
　　例：从八点到九点他听广播了。
　　改：他听了一个小时的广播。
　　(1)　他从三月开始搞这个设计到九月中旬才搞完。

　　改：
　　(2)　她吃完午饭就写作文，一直写到傍晚前后。

　　改：
　　(3)　从星期一到星期六他都没在公司。

　　改：
　　(4)　她每天早上从六点到七点三十分练打太极拳。

　　改：

74

(5) 他们从晚上一直热闹到第二天早上。

改：

(6) 他九〇年初来中国学习，到九五年八月回国。

改：

三　比较下列左右两侧词组的意义：

(1)　25号　　　——　　25天

(2)　十二个月　　——　　十二月

(3)　淋了一身水　——　　买了一身西服

(4)　一小块蛋糕　——　　一块小蛋糕

(5)　灯亮了一夜　——　　一个明亮的夜晚

(6)　订了一桌菜　——　　摆了一桌子菜

四　下列形容词可以填到哪些括号中：

　　　　大　　小　　满　　长　　平

(1)　一（　）把伞　　　(2)　一（　）群工人

(3)　两（　）把土　　　(4)　一（　）家商店

(5)　三（　）间屋子　　(6)　一（　）块月饼

(7)　两（　）杯咖啡　　(8)　一（　）勺盐

(9)　一（　）堆东西　　(10)　一（　）片草地

五　说说句中重叠的数量词语表示哪一种意义：

　　　　a　逐一　　b　每一　　c　多　　d　一接着一地

(1)　夏天，大雨一场一场地下个不停。

(2)　孩子们个个聪明可爱。

(3)　他把这首诗的词句一一做了详细地解释。

(4)　她亲切地一勺一勺地给病人喂着饭。

(5)　八月前后，湖里盛开着一片片荷花，美丽极了。

(6)　　他天天早上跑步。

（六）改正下列句子中的错误：
(1)　　一年有四季节。
(2)　　我的五、六个朋友们晚上来给我过生日。
(3)　　他给朋友写了一小封信。
(4)　　下午，我听了三钟头的讲座。
(5)　　他在美国学习了十月。
(6)　　我用一小时半写了一个作文。
(7)　　每次作诗，他都是一字地认真地推敲着。
(8)　　你每天晚上多长时间睡觉？
(9)　　这里记录着他天天的日程。
(10)　　几十个孩子们手举着鲜花朝他跑来。
(11)　　一年以来，我觉得这天过得最愉快。
(12)　　每当提交作业的前天，我都开夜车。
(13)　　听说那系的学生都非常聪明。
(14)　　你打算多长时间在中国留学？

综合练习三

一 填空：

（一）用"二"或"两"：

（ ）千（ ）百（ ）十人　　（ ）段话

（ ）十（ ）万　　　　　　（ ）斤鱼

（ ）万（ ）千吨　　　　　（ ）把扇子

（ ）倍　　　　　　　　　　（ ）公里

（ ）分之一　　　　　　　　（ ）张床

（二）用量词（不得重复）：

三（ ）椅子　　　　　　一（ ）沙子

两（ ）毛衣　　　　　　一（ ）西服

二十（ ）路　　　　　　一（ ）老人

一（ ）汗　　　　　　　听了一（ ）录音

睡了一（ ）　　　　　　借了两（ ）

来了两（ ）　　　　　　一（ ）流氓围了上来

一（ ）高大的楼房整齐地排列着。

广场两侧种着一（ ）整齐的树木。

二 判断选择：

(1) 他在资料室里看了一晚上书。

a 某个晚上　　　b 整个晚上

(2) 怎么就来了这么几个学生。

a 很少很少　　　b 九个以内

(3) 她买了一大筐苹果。

a 一筐大苹果　　b 装苹果的筐大

(4) 你等等，我三两分钟就完。

　　　　　　a　两到三分钟　　　b　时间极短

（5）这次出差大约得个把月。

　　　　　　a　一个月左右　　　b　一个月

（6）他激动得没说上两句话就说不下去了。

　　　　　　a　两句话　　　　　b　少量的话

三　根据要求，重新组织词组或句子：

（一）用概数表示下列数字（表示方法不能重复）：

例：　一百——二百个　→　　一、二百个

　　　19 岁—— 20 岁　→　　　　　3 天—— 5 天 →

　　　21 个—— 22 个人→　　　　　99 台 →

　　　31 斤　 →　　　　　　　　两小时零五分→

　　　9 月—— 11 月 →　　　　　4 万—— 5 万→

（二）根据意思，用借用量词组成数量词组重新表述：

例：　地上流得到处是水　→　流了一地水

（1）教室里坐满了学生→

（2）用小包装苹果→

（3）假期全部用来写论文了→

（4）用眼睛看了他几下→

（5）抽烟抽得嘴里全是烟味→

（6）用板子拍了他两下→

（三）将句中的时间用时段表示法表示：

例：　从下午一点到两点他睡午觉了。

改：　他睡了一个小时的午觉。

（1）早上上班后到晚上下班前他全呆在实验室里。

（2）他屋里的灯从晚上一直亮到早上。

（3）她每天下午两点半到四点听广播。

（4）他从四月到十月在美国学习。

78

（5）他上一周的星期一入院到这一周的星期六才出院。

四　改正句中不适当的地方：

（1）她每月工资一千左右块钱。

（2）湖的南边是一大座山。

（3）那座旅馆服务很好。

（4）学汉语的人由原来的一百人多上升到四百人多，增
　　加了四倍。

（5）我兴致勃勃地参观了两钟头。

（6）这所教学楼共有六个层。

（7）新年左右，他将有一遍旅游的机会。

（8）这些画，有的张画得好，有的张画得不好。

（9）他一共选了十门来课。

（10）这家大学有两多万人。

（11）会场里响起一场场欢呼声。

（12）现在她一点儿累了，想坐在这里休息一次。

（13）这是他一次来中国。

（14）每天早上，这里都有一二百老人们做气功。

（15）我买了五面工艺扇子。

<table>
<tr>
<td>

第四单元

名词、代词

</td>
<td>

名词是表示人或事物名称的词。

代词是具有指别和称代作用的词，它指示、称代的内容只有在具体语言环境中才能确定。

</td>
</tr>
</table>

第十课 名　词

一、一部分名词的词缀标志：

一部分名词有词缀标志，看到这些标志就可以判断出它们的词性。

典型的词缀有：

词缀＋名词性语素｜动、形性语素＋词缀

阿～：阿姨　阿爸　阿妹

老～：老师　老婆　老板

～子：儿子　女子　筷子　　剪子　梳子　呆子　胖子

～头：木头　馒头　石头　　看头　想头　苦头　甜头

～儿：花儿　棍儿　猫儿　　画儿　塞儿　空儿　亮儿

～者：　　　　　　　　　　读者　旁观者　弱者　老者

还有一些不十分典型的词缀。例如：

～家：作家　专家　发明家　　～士：战士　护士　斗牛士

80

~师：导师　医师　设计师　　～法：看法　用法　说法
~员：职员　人员　服务员　　～手：歌手　助手　能手
~度：高度　温度　准确度　　～长：厂长　班长　列车长
~学：哲学　文学　人类学　　～性：人性　理性　社会性
~主义：社会主义　现实主义　个人主义

有的词缀，能给词增加一定的色彩意义。例如：

"儿"：一般用于较小巧的事物，或有喜爱的感情色彩。

"子"：一般用于稍大的事物，或有憎恶的感情色彩。

试比较：

　　棍儿；棍子　　老头儿；老头子　　小胖儿；大胖子

二、语法上的主要特点：

1　可以接受数量词组的修饰；但是一般不能直接跟数词结合。例如：

　　　　三名专家　　　　两张桌子　　　　一壶茶
　　　　一套公寓　　　　二十里路　　　　一群牛
　　　＊三十学生　　　＊一酒瓶　　　　＊五楼房

2　一般不能接受副词的修饰。例如：

　　　＊不专家　　　＊也昨天　　　＊很友谊

少数表示数量极少的副词，可以出现在名词前，但也只能出现在主语前，而不能出现在名词性定语和名词性宾语前。

这种副词只有：　就　光　只　单　仅　仅仅

例如：

　　（1）资料室里，光科技类图书就有上万册。

　　（2）查一下人数，看看还有谁没来？

　　　　——就小王一个人没来。

　　　　＊这个阅览室里有只报纸、杂志，没有图书。

　　　　＊这里的学生是就我们班的学生。

3　名词一般不能单独做谓语，也很少做状语。

要注意分辩一些抽象性名词的词性。例如：

友谊　　礼貌　　措施　　兴趣　　乐趣

精力　　愿望　　经验　　食欲　　生命

＊我愿望更多地了解他们的想法和习惯。

＊我们每天都精力学习上。

＊我很兴趣中国的社会情况。

但是，时间名词有的可以作谓语，作状语是它的主要功能。时间名词举例：

现在　　过去　　将来　　今天　　去年

白天　　晚上　　清早　　下午　　前后

～年　　～后　　～点　　～月　　～时

作谓语：

（3）今天大年初一。

（4）现在五点多了。

另外，表示节气、籍贯的名词也可以作谓语。

（5）老李上海人。

（6）后天冬至。

作状语：

（7）他下半年没有外出任务了。

（8）春节前，我们将举行一次联欢活动。

三　方位词

方位词是表示空间和时间的词，属于名词中的一类。

一个音节的方位词叫单音方位词；单音方位词与"以""之""边""面""头"等构成合成方位词。

常用的方位词有：

单音	合成		单音	合成	
上	上边	上面	左	左边	左面
下	下边	下面	右	右边	右面
前	前边	前面	里	里边	里面
后	后边	后面	外	外边	外面
旁	旁边	中间	中	中央	当中

还有"东""西""南""北"及它们跟"以""之""边""面""头"等构成的合成词。

▲单音方位词单用能力很差，一般要与别的词或词组组合起来使用。合成方位词有时可以单用。例如：

楼里　门旁　东半球　结婚前　午饭后

(1) ＊宿舍楼周围的环境很好，前是一个宽阔的广场，后是一个宁静的小花园。

(2) ＊你上里坐一会儿，我在外走走。

(3) 前边有一个很大的商场，我们去那儿看看。

▲名词或名词词组后附上方位词表示处所。例如：

院子中　门前　树上　桥下　心里　两楼之间

普通名词表示处所时，后面往往要加上方位词。

(4) 我的护照在那个书包里。

　＊我的护照在那个书包。

▲"前""后""上""下"等与词或词组组合，可以表示时间。例如：

劳动前　下课后　前一天　下周　上半年

▲国名、地名之后不能再加方位词"里"。

　＊他现在在哪儿？——在北京里。

　＊天津里的自行车实在太多了。

练习十

一 给下列词加上适当的词缀，使之变成名词：

盖＿＿＿　　夹＿＿＿　　讲＿＿＿　　管理＿＿＿

强＿＿＿　　学＿＿＿　　念＿＿＿　　打字＿＿＿

甜＿＿＿　　记＿＿＿　　看＿＿＿　　受害＿＿＿

画＿＿＿　　新＿＿＿　　湿＿＿＿　　探险＿＿＿

盼＿＿＿　　呆＿＿＿　　教＿＿＿　　重要＿＿＿

二 给下列词加上适当的词缀，填到＿＿＿上：

男　　女　　空　　想　　领导　　专

参赛　老头　勤务　小鸟　创造　　吃

(1) A 没想到你做的菜还挺有＿＿＿＿的。

　　　B 就是为了给你留个＿＿＿＿，才拿出看家本事的。

(2) 她养了一只＿＿＿＿＿，可爱极了！

(3) 这次马拉松赛，＿＿＿＿＿＿达上万人。

(4) 年青人不仅要有知识、有能力，还必须富有＿＿＿＿＿。

(5) 人家姑娘都不怕，你一个大＿＿＿＿＿还怕什么呀？

(6) 王平的爷爷可真是个好＿＿＿＿＿呀！

(7) 我们请了一位眼科＿＿＿＿＿＿给你看病。

(8) 这届跳水比赛，＿＿＿＿　＿＿＿＿各有十几个参赛项目。

(9) 我有事找你，能抽＿＿＿＿来一趟吗？

(10) ＿＿＿＿应该下决心做人民的＿＿＿＿。

三 给下列词语附上适当的方位词组成方位词组：

窗　　　　　桌子　　　　　汽车

墙　　　　　操场　　　　　飞机

84

楼	大桥	朋友
心	思想	工作
空	吃饭	两棵树
年	天亮	星期

四　根据意思，在＿＿＿上填上适当的名词或名词性词语：

（1）我们一定要解决好人民＿＿＿＿＿的生活＿＿＿＿。

（2）每个教室的＿＿＿＿＿都贴了两张＿＿＿＿＿。

（3）＿＿＿＿＿＿＿我一个人呆在屋子里看＿＿＿＿＿＿＿。

（4）＿＿＿＿＿首先要养成良好的学习＿＿＿＿＿。

（5）他的＿＿＿＿＿感动了每一个＿＿＿＿＿＿＿。

（6）今天＿＿＿＿＿＿＿＿。

（7）＿＿＿＿＿给人们带来了＿＿＿＿＿＿＿。

（8）大家把自己的＿＿＿＿＿＿＿都说说。

（9）他＿＿＿＿＿＿＿，我＿＿＿＿＿＿＿。

（10）＿＿＿＿＿正迈着整齐的＿＿＿＿＿＿，走进＿＿＿＿＿来。

（11）三双＿＿＿＿＿　　（12）一条＿＿＿＿＿＿＿

（13）一头的＿＿＿＿＿　（14）一桌子＿＿＿＿＿＿＿

（15）一小片＿＿＿＿＿　（16）两场＿＿＿＿＿

五　判断正误，正确的画"√"，错误的画"×"并改正：

（1）他不专家，我要请专家。

（2）教了好几遍，我还不会，也她不急。

（3）鲁迅浙江绍兴人，生于 1881 年。

（4）这一年中，我经验了很多事情。

（5）我很乐趣旅游。

（6）一问他们路，他们就会很热情地把你送到你愿望去的地方。

（7）这么一大堆事要做，单你一个人怎么能行呢？

（8）她待我们很热情、很友谊。

（9）晚上我再电话你吧。

（10）她拉着大夫的手说："请您再生命他一次吧！"

（11）那天时间不够了，我们没去工厂，参观了只学校。

（12）整个旅途中，我一直很食欲。

（13）中间那张最大的照片是我照的。

（14）孩子们欢快地从山跑下来。

（15）我刚到中国里那天，心里紧张极了。

第十一课　代　　词（一）

一、人称代词：

（一）第一人称：我（单数）　　　　我们（复数）

第二人称：你（单数）　　　　你们（复数）

第三人称：他（单数、男性）　他们（复数、男性）

她（单数、女性）　她们（复数、女性）

它（单数、事物）　它们（复数、事物）

（二）三种人称代词的活用：

1 "我""你"在单位、集体名词前作定语时可代替"我们""你们"。

（1）我校正在开展校园文明建设。（我们学校）

（2）你方代表是谁？（你们方）

2　为了表示亲切，把自己置于听话人的位置，"我们"等于"你们"。

（3）我希望我们每一个小朋友都能树立远大的理想。

3　用两个不同的人称前后呼应，不实指某一个人。

（4）来，不要你推我让的，大家都来尝尝。

（5）他们你一句我一句问起个没完。

（三）其他几个代词：

1　咱们

"我们""咱们"有时可以通用，但是强调某一方时有差别。

"咱们"：多用于口语，包括说话人和听话人双方。

"我们"：只指说话人一方。例如：

晚会上，几个人向另外几个人告辞说："你们继续玩吧，我们先走了。"（"我们"不能用"咱们"）

另几个人说："着什么急呀，咱们好不容易凑到一起，再玩一会吧。"（"咱们"可以换成"我们"）

2　自己

"自己"不确指某一人称，而指某人或某事物自身。说话时，为明确所指的人或事，"自己"前面常有被代指的代词或名词。

例如：

（1）他们不是小孩子了，自己会处理好这些事情的。

（2）你自己的事，为什么自己不做而让别人做呢？

（3）这事不怪他，都怪我自己不小心。

（4）怎么录音机突然自己响起来了。

3　人家、别人

"人家"可以泛指第三人称，也可以确指第一、第三人称。

例如：

（1）要学习人家的长处，克服自己的短处。（泛指）

（2）你看人家王师傅，多谦虚呀！（确指第三人称）

（3）人家都快急死了，你却在这儿看人家的笑话。

（确指第一人称）

"别人"用于泛指第三人称。

（4）要学会理解、关心别人。

（5）别人都走了，只有小王还在继续学习。

（四）运用人称代词应注意的问题：

1　称代所指一定要明确。以下是称代不明确的句子：

（1）他在门口遇见了他，他跟他打招呼。

（2）玛丽和她妈妈来了，她说给我带了一件礼物来。

（3）不能只听哥哥说，还要问问自己。

2　注意引用语人称的变化。

* 最近她的公司很不景气，她对我说："无论如何她也不能让公司倒闭。"（引用语中的"她"应改成"我"）

二、指示代词及有关的疑问代词：

（一）指示代词及其指量词组：

称代指别	近指	远指
人、事物	这	那
人、事物	这（数）量＋名词	那（数）量＋名词
处所	这儿、这里	那儿、那里
时间	这时、这会儿	那时、那会儿

"这/那＋（数）量"，一般被称做"指量词组"。

（二）指示代词的运用：

1 "这""那"单独使用时，多作主语，多用于"是"字句。例如：

（1）那是我们的新图书馆。

（2）这是我儿子。

（3）我们一家住上一栋楼，这在过去是连想也不敢想的事情。

2 "这""那"与数量词或名词连用时，有确指的作用。

结构是：　　这/那＋（数）量词＋名词　例如：

这（几）本书　　　　那（五）位同学

*几本这书　　　　*五位那同学

写了几个字（"字"是任意的）

写了那几个字（"字"是确指的，前文提到的）

名词有限定语并需要确指时，必须用"这""那"。例如：

骑自行车的人（泛指）　　骑自行车的那个人（确指）

朝他笑的人（泛指）　　　朝他笑的那个人（确指）

3 "这""那"还可以表示时间的远近。现在或当时的时间用"这时";过去的时间用"那时"。

(4) 这时,一个人急匆匆地走了进来。

(5) 我是 2 月来的中国,那时中国对我来说是极其陌生的。

4 汉语有的词,如动词:来、去、到、回、上、在;介词:从、在、到等后面常接处所宾语。如果宾语不是处所词,而是人称代词或表人、物的名词,后面要接代词"这里""这儿""那里""那儿",构成场所词语。例如:

(6) 一会儿我想去老师那儿一趟。

(7) 这些行李先放到我朋友那儿。

(8) 我这儿没有这种词典,好像小李那儿有。

* 一会儿我想去老师一趟。

(三) 有关的疑问代词:

▲ "什么"主要指事物,也可以指人。例如:

(9) 什么是幸福?

(10) 你买了些什么东西?

(11) 你是什么人?

"什么人"是问姓名、职业等。要注意的是,直问对方是一种不礼貌的问法。

"什么大夫?""什么老师?"等,问的是职业类别。

▲ "哪里""哪儿"用法差不多,问处所时,前面常用介词。

(12) 在哪儿看的电影?

(13) 从哪里弄来这么多旧书?

▲ "哪会儿""多会儿"相当于"什么时候",多用于口语。

(14) 那是哪会儿的事了?

(15) 这张照片是多会儿照的?

练习十一

一 选择适当的代词或指量词组填空：

(1) 他努力学习的精神深深地感动了（　　）。

(2)（　　）不能再让妈妈操心了，得学会（　　）照顾
（　　）了。

(3)（　　）洗衣机是全自动的，可以（　　）漂洗、（　　）
排水进水、（　　）甩干并停机。

(4)（　　）怎么想我不管，（　　）只知道我应该这么做。

(5)（　　）王师傅一向守时，不像（　　）。

(6)（　　）还是别去了，（　　）人一定很多，上（　　）找
他呀？

(7) 姐，刚才你让我冲的（　　）茶是（　　）产的？

(8) 他是你的（　　）人？

(9) 我想起了五十年前的往事。（　　）我只有八岁，为了
读书，每天上山砍柴去卖。

(10)（　　）不了解他，难道你也不了解（　　）吗？

(11) 孩子的妈妈激动地对大夫们说："（　　）救了（　　）
的孩子，让（　　）怎么感谢（　　）才好？"

(12) 听说（　　）晚上，（　　）俩说说（　　）聊聊
（　　），高兴得一夜没睡。

(13) 他指着巨石高声叫道："（　　）大力士能搬动（　　）？"

(14) 一天下午，老师兴奋地对我们说："告诉（　　）一个
好消息，（　　）有书了！"听了（　　）喜讯，
（　　）高兴得跳了起来。

(15) 小李！来，帮（　　）把（　　）桌子搬到书柜（　　）。

91

二 根据句子意思，按要求改写句子：

1 用"这""那"作定语，改写下列句子：

例： 立交桥旁有一座高大的楼房。

　　　它就是中国人民银行。

改： 立交桥旁那座高大的楼房就是中国人民银行。

（1） 河对岸有一只小船。

　　　它叫风吹跑了。

改：

（2） 桌子上有一支笔，不好用。

　　　我手里拿了一支笔，好用。

改：

（3） 台上有一个女孩在唱歌。

　　　我认识她。

改：

（4） 我昨天去车站接了一个人。

　　　他是我在北京读书时常常帮助我的人。

改：

（5） 一个小伙子穿着夹克衫。

　　　你应该感谢他，是他帮助了你。

改：

2 用"这儿/这里""那儿/那里"作中心语，改写下列句子：

例：她想去李阿姨家玩一会儿。

改：她想去李阿姨那儿玩一会儿。

（1） 她眼睛附近长了颗痣。

改：

（2） 我的房间里没有热水，小王的房间里有。

改：

（3） 星期天我想回我妈妈家一趟。

92

改：

 （4） 笔就在桌子上的词典旁边。

改：

 （5） 立交桥附近就有一个书店。

改：

三 改正下列句子中不适当的地方：

 （1）前几天来看我的这位朋友是我在中国认识的。

 （2）你看，这箱子里不是还有地方吗？把包里那两件衣服也放那里吧。

 （3）母亲想："不管怎么难，她也要把孩子抚养成人。"

 （4）我们去过北京很多地方，他们的风景都很美。

 （5）暑假咱们要去大连旅游，你们去哪儿？

 （6）王华和大娘再次在车上相遇，她亲热地跟她打招呼。

 （7）这时她很小，现在她不但长大了，还做了妈妈。

 （8）这两盆花是从张老师搬来的。

 （9）医院门口的男人，我好像在哪里见过。

 （10）你怎么来了？不是说你跟朋友一起来吗？

 （11）爱尔兰是我最喜欢的国家之一，我特别喜欢它的居民和它的风景。

 （12）如果他们把他们的困难告诉他（指司机），他会帮助他们的。

 （13）1月17号，我永远也忘不了这日子，我的家乡被地震破坏了。

 （14）老师说："同学们！可以吃饭了！"这是咱们最盼望的时刻，咱们高高兴兴地打开了饭盒。那时，突然一个学生叫道："老师！我忘带饭盒了。"

第十二课 代 词（二）

一、指示、疑问动作程度、方式或事物性状的代词：

近指	远指	疑问
这么	那么	怎么
这样	那样	怎样、哪样
这么样	那么样	怎么样

主要功用：

1　主要是修饰动词、形容词，表示程度、方式，作状语。例如：

（1）你这么关心照顾我，我怎么谢你才好呢？

　　（程度）　　　　　　　（方式）

（2）问题没那么严重，别着急。（程度）

（3）他经常这样发脾气。（方式）

（4）那样看书对眼睛不利。（方式）

（5）我怎么样做你才能满意？（方式）

2 "这样""那样""哪样"还可以指代状态、性质，作定语。例如：

（6）这样的文学作品才会有生命力。

（7）那样的事情不能再发生了。

（8）鞋的种类很多，你想要哪样的？

3　"这么""那么"可以修饰数量词语，表示数量。

A　加"些"表示多，加"点儿"表示少。例如：

（9）走了这么些地方，只有这里最好。

94

(10) 不好吃吗？你怎么就吃那么点儿？

　　B　加数量词组

　　　　(11) 怎么才住了这么几天，就要走哇？

　　　　(12) 怎么买了这么一大筐苹果呀？吃得了吗？

　4　"怎么""怎么样"可以问方式、性状、原因等。

　　　　(13) 我们怎么去？　　（问方式）

　　　　(14) 他是怎样的一个人？　　（问性状）

　　　　(15) 老王怎么没出席会议？　　（问原因）

"怎么""怎么样"都可以直接作谓语，但是"怎么"作谓语时，后面一定要加"了"。

　　　　(16) 你眼睛怎么了？（＊你眼睛怎么？）

　　　　(17) 你最近身体怎么样？

二、疑问代词的特殊用法

　　疑问代词一般是表示疑问的，但是有时它也可以出现在无疑而问的句子里，表示反问、泛指、不确指、虚指等。

　　（一）表示反问

　　反问句形式上仍用"？"，但是实际上是无疑而问的句子。否定形式表达的是肯定的意思；肯定形式表达的是否定的意思。例如：

　　　　(1) 谁不关心他了？

　　　　(2) 他什么不知道？

　　　　(3) 既然不想去，还商量什么？

　　　　(4) 他怎么不知道？这件事就是他告诉我的。

　　　　(5) 你要回国了，我哪儿能不来看你呢？

　　　　(6) 他北京来了七八次了，哪儿没去过呀？

　　（二）表示任指（泛指）

　　用句号形式结句。句中的疑问代词指任何一个人、一件事、一种方式等。

句子形式通常是：疑问代词＋都/也……

无论/不管＋疑问代词……都/也……例如：

（1）这次活动谁都不感兴趣。

（2）你什么时候来都行。

（3）他哪儿都想去。

（4）哪种干法都可以。

（5）他怎么清楚也没有我清楚。

（6）无论什么意见，大家都可以提。

（7）不管大家怎么问，他一句话也不说。

（三）表示不确指

用句号形式结句。句中的疑问代词指不确定的某个人、某件事、某种方式等。通常以两个同样的疑问代词，前后呼应使用。

句子形式通常是：

疑问代词A……（就）疑问代词A……例如：

（1）你喜欢哪个，我就送给你哪个。

（2）什么时候需要他，他就什么时候出现。

（3）爱去哪儿就去哪儿。

（4）大家想怎么干就怎么干。

（5）谁想参加谁就报名。

（6）他的模仿力真强，学什么像什么。

（四）表示虚指

句中的疑问代词，只表示不知道或说不出来或不需说明的人或事物等。例如：

（1）这个人我好像在哪儿看见过。

（2）丽丽明天过生日，咱们买点儿什么礼物送给她吧。

（3）这件事我好像听谁说过。

（4）什么时候咱们也凑在一起热闹热闹。

（5）我的嗓子不知怎么突然哑了。

练习十二

一 选择合适的代词填空：

　　　　那么　　这么　　怎么　　这样
　　　　怎样　　哪样　　怎么样

(1) 她的态度（　　）温和。

(2) 女儿（　　）爱好文学，还是让她去中文系吧。

(3) 你（　　）一点儿也不理解人的心情？

(4)（　　）重的石头，那时是（　　）运上山的呢？

(5) 这里没有南方（　　）多的雨水。

(6) 他身体恢复得（　　　　）了？

(7) 你喜欢（　　）玩具，告诉我，我给你买。

(8) 你（　　）了，肚子疼吗？

(9) 当时是（　　）一种情况，你了解吗？

(10) 你（　　）（　　）不冷静？

(11) 你（　　）只坐了（　　）一会儿就要走哇？

(12) 你们（　　）能做出（　　）的决定来？

二 用疑问代词填空：

(1)（　　）不知道老张认真仔细？

(2) 你好像生气了？——我（　　）生气了？

(3) 你（　　）时候来都可以。

(4)（　　）学习好，我就向（　　）学习。

(5) 他第一次来中国，（　　）都想去看看。

(6)（　　）种便宜就买（　　）种。

(7) 大家想（　　）玩就（　　）玩。

(8) 我觉得你很面熟，好像在（　　）地方见过你。

(9) 老王走南闯北一辈子，（　　）苦没吃过，（　　）人没
见过？

(10) 这辆自行车不知（　　）坏了。

(11) 你坐（　　）等我一下，我一会儿就来。

(12) （　　）时候你们放假了，咱们去海滨玩玩，怎么样？

三　就句中带"．"的部分提问并回答：

(1) 他买了一个又甜又沙的大西瓜。

(2) 她昏迷过去了。

(3) 她姐姐长得特别漂亮。

(4) 她一句一句认真地教着，样子可爱极了。

(5) 他是一个踏踏实实的实干家。

四　用本课所学的代词，根据下列条件说话：

1　遇到下列情况怎样说：

(1) 我嫌你的屋子太脏了。

(2) 他跑的速度太快了，我当然追不上他。

(3) 我觉得这个单词太难记了。

(4) 我认为你的睡觉姿势不舒服。

(5) 我想安慰他，困难不是很多，别担心。

(6) 你非常热情地帮助了我，我不知道用什么来表示感谢。

2　遇到下列情况怎样发问：

98

（1）看到弟弟的手在出血。

（2）他正在发很大的脾气。

（3）他说下午来，可是他没来。

（4）他原来想坐飞机去，临时改坐火车了。

（5）他只学了半年，就能说比较流利的汉语。

（6）这个电影非常好，可是他却不想看。

五　用疑问代词将下列句子改写成反问句或非疑问句：
例：　我们这里的人都了解他。
改：　我们这里的人谁不了解他？
例：　她各个方面都好。
改：　她哪个方面都好。

（1）他连自己都不会照顾，当然不会照顾别人。
改：
（2）我太累了，想坐一个地方休息一下。
改：
（3）你大老远来看我，我不会让你走的。
改：
（4）大家可以发表任何见解。
改：
（5）你们可以采取自己想去的方式去。
改：

（6）有时间的话，咱们去看看老师。

改：

（7）今天是你们俩的喜日子，我当然要来祝贺。

改

（8）世界上没有任何东西比友谊更可贵。

改：

（9）刚来的时候，他一个人也不认识。

改：

（10）凡是能去的地方他都想去，可是他一个地方也去不了。

改：

六　改正下列句子中不适当的地方：

（1）这些日子他怎么很忙？

（2）我不知道这是什么回事？

（3）你的朋友是什么一个人？

（4）她平常不怎样说笑。

（5）他还小，对这么的事还不会处理。

（6）有女儿跟父亲怎样说话的吗？

（7）他怎么非常不理解别人？

（8）她遇到一件麻烦事，不知道怎么办法才好。

（9）我想亲自去看看那里到底是怎么样子。

（10）这么晚了，这里怎么还很热闹呢？

综 合 练 习 四

一　填空：

（一）填词缀：

老　　者　　员　　主义

100

子　　　性　　　头　　　家

(1) 我只是一个小职____，他才是大____板呢!

(2) 李四光是一位著名的地质学____。

(3) 这个小伙____真是个好样的!

(4) 这些作品是现实____与浪漫____相结合的好作品。

(5) 读____要自觉服从图书管理____的管理。

(6) 表演____是一位____汉，技艺高超精湛，引来围观____
　　阵阵掌声。

(7) 他真是一个铁打的汉____，一身的硬骨____。

(8) 他的意见很有代表____。

(9) 我尝到了广交朋友的甜____。

（二）填方位词：

(1) 两个楼_____是一个停车场。

(2) 门_____停了几辆汽车。

(3) 马路_____有几家商店。

(4) 让他们到_____去，我们在_____慢慢走。

(5) 大厅_____放着一棵圣诞树。

(6) 山脚_____有一条小河。

(7) 这些人_____，有谁能帮得了你的忙。

(8) 他心_____有些想不通。

（三）填名词或名词性词语：

(1) _____经过大家的努力，产品_____已有所提高。

(2) _____既整洁又干净。

(3) 这里新建的_____一排一排的。

(4) _____很客气地向我提出了三点_____。

(5) 我是个_____，做菜的_____还不行。

(6) 北京站到了，_____纷纷走下_____，涌出_____。

(7) 这条_____上，下班时间_____最多。

（8）这个小男＿＿＿＿告诉我，他长大一定要当个＿＿＿＿＿。

（四）填代词：

（1）＿＿＿有趣儿的活动，你＿＿＿没参加呢？

（2）＿＿＿不要挤！＿＿＿挤下去，＿＿＿也上不了车。

（3）＿＿＿丽丽多懂礼貌，＿＿＿一回都是不用妈妈说就知道
＿＿＿主动跟＿＿＿打招呼。

（4）a 你＿＿＿帮助我，我＿＿＿感谢你才好呢？

　　b 谢＿＿＿谢，都是朋友，别＿＿＿客气！

（5）他从来都是关心＿＿＿胜过关心＿＿＿。

（6）我的目的是帮助他，我＿＿＿做有＿＿＿不对呢？

（7）我实在太饿了，＿＿＿去＿＿＿吃点儿＿＿＿好吗？

（8）你＿＿＿＿自甘寂寞呀，＿＿＿＿时候我陪你去旅游旅游。

二　找出下列句中的代词并指出它们是哪一类代词：

　　　　a 人称代词　　　b 指示代词　　　c 疑问代词

（1）咱们学校参加这次比赛的有哪几个同学？

（2）小张，你的手怎么了？——不知道怎么了，突然不听使
唤了。

（3）哪里是大家不让他参加呀，是他自己不想参加的。

（4）他们懂得怎样关心别人了，这不是一件好事吗？

（5）我到现在也没想好，那篇文章到底写什么、怎么写？

（6）人家小华那么刻苦，咱怎么就不能向人家学习学习？

三 根据句子意思，按要求改写句子：

1 用指示代词作定语，将每组的两句话改写成一个句子：

例：有一个男同学在借书。

他是我才认识的中国朋友。

改：正在借书的那位男同学是我刚认识的中国朋友。

（1）上次照了一些照片，很好。

昨天照了一些照片，不太好。

（2）北部夜空有一颗亮星。

它叫北极星。

（3）我讨厌一种人。

这种人只讲虚荣。

（4）一个售货员站在柜台左边。

她的服务态度好极了。

2 用疑问代词改写句子：

例：我现在很想听点儿音乐、故事等等。

改：我现在很想听点儿什么。

（1）这次作文大家可以写自己喜欢写的内容。

（2）我劝了他好半天，他就是不听。

（3）你从任何地方上车都行。

（4）没有决心当然做不成大事。

四 改正下列句子中不适当的地方：

(1) 他是什么的一位老师？

(2) 他从来都是关心人胜过关心他。

(3) 星期天我常常去北大，我有两个好朋友住在这儿。

(4) 这些工艺品怎么非常贵？

(5) 你问小梅正看的一张照片吗？它是我五岁时照的，这时我还没上学，样子这么天真！

(6) 你们班的成绩不如咱们班，咱们班的成绩可好了。

(7) 大家怎么作法他都同意。

(8) 跑在前面的一个人我认识，他一天早上都跑步。

(9) 这些行李先搬到门，一会车来了好装车。

(10) 他没想到每天做这么很多工作。

(11) 什么回事？为什么刚来就要走？

(12) 有的地区虽然它们的生活比较落后，但是它们的人却很好客、很热情。

(13) 听说她喜欢看只爱情小说。

(14) 他们的话题我很兴趣。

第五单元

副　词

　　副词主要用来修饰动词、形容词，说明动作性状的范围、时间、程度、频率、肯定否定等。

第十三课　副　词　（一）

一、表示不同意义的副词：

1　表示时间：

刚	刚刚	已	已经	曾经	才
就	正	正在	在	将	将要
立刻	马上	顿时	起初	原先	一时
向来	一直	好久	永远	从来	一向
随时	时时	偶尔	老是	总是	忽然

2　表示范围：

都	全	统统	一共	总共	一起
一同	一齐	一块儿	一道	一概	净
只	仅仅	就	光	单	唯独

3　表示程度：

很	极	挺	太	怪	最
非常	十分	格外	极其	相当	比较

| 更 | 更加 | 稍微 | 多么 | 越加 | 越发 |

4 表示重复、频率：

| 又 | 再 | 还 | 也 | 再三 | 屡次 |
| 常常 | 经常 | 时常 | 往往 | 不断 | 反复 |

5 表示肯定、否定：

| 不 | 没（有） | 准 | 一定 | 未必 | 必然 |

6 表示语气：

可	幸亏	难道	居然	究竟	到底
偏偏	简直	反正	却	倒	也许
大约	好在	几乎	差点儿	果然	明明

7 表示情状：

| 猛然 | 依然 | 仍然 | 逐步 | 逐渐 | 渐渐 |
| 亲自 | 百般 | 互相 | 特地 | 大肆 | 悄然 |

二 副词的主要语法功能：

副词一般不受其它词类的修饰，它的主要语法功能是作状语。

（一）主要修饰动词、形容词。例如：

刚到	正在吃饭	常常去
都参加了	一起讨论	再说一遍
写得很好	非常难过	多么美啊
究竟是谁	一定干到底	互相学习

表示程度的副词主要修饰形容词，动词中表示心理、意愿的动词可以接受程度副词的修饰。例如：

| 最伟大 | 特别愉快 | 更加美丽 |
| 极其生气 | 十分喜欢文学 | 相当愿意去 |

副词也可以修饰代替了动词、形容词的代词，如：这样、那样、这么着等。例如：

（1）好了，好了，小敏知道错了，不会再那样了。
　　　　　　　　　　　　　　　　　　　· △ △

106

（2）事情已经这样了，光埋怨有什么用？

（二）副词一般不能修饰名词、数量词。例如：

　　＊都我们决定了　　　　＊也他们一起去
　　＊先我们读课文　　　　＊我们都三人看电影

　　但是当名词、数量词作谓语时，则可以接受部分表示时间、范围、频率的副词的修饰。例如：

　　（3）人家都小伙子了，别总说人家。

　　（4）他已经教授了，我才讲师，差得也太大了。

　　（5）今年招收的学生有五种类别，一共三千五百人。

　　（6）又星期六了，时间过得可真快呀！

　　少数表示范围、否定的副词有时也可以限制名词。范围副词限定名词时，出现在主语前，不能出现在宾语前。例如：

　　（7）光他一个人去，行吗？

　　（8）就星期天没有课。

　　　＊她唱了就一支歌。

　　（9）他去了没几天就回来了。

　　含数量的名词性词语做谓语时，表少数的"就""仅仅"等也可以出现在它们的前面，但主要是限制数量。

　　（10）他就一本画报。

　　（11）我们全组仅仅五个人。

（三）副词除少数（不、没有、也许、一定、有点儿等）可以单独回答问题外，大部分不能。回答问题时，副词应跟所修饰的谓语一同答出。

　　例如：

　　（12）最近没看到小王，出差了吗？——也许。

（13）你脸色不好，身体不舒服吗？——有点儿。

（14）黎明已经毕业了吗？——＊已经。

已经毕业了。／是的。

（15）你也参加吗？——＊我也。

也参加。／是啊。

（16）那儿风景特别美吗？——＊特别。

特别美。／是的。

练 习 十 三

一 将左右两侧可以搭配的词语用线连接起来（限用一次）：

到底	去他那儿
一起	请教
永远	出发
的确	商量商量
更加	漂亮了
随时	那样了
立刻	记在心里
就	想不起来了
一时	动人
经常	帮助
格外	难受的
已经	几个人
互相	不错
怪	他不知道
没	哪一种好

二　将（　）中的副词填到句中适当的位置上：

(1) ＿＿我这儿＿＿有几张票，＿＿＿你们＿＿来吧。

　　　　　　　　　　　　　　　　（还）　　（都）

(2) ＿＿你的条件＿＿不错，＿＿别人比你＿＿差多
了。　　　　　　（还）　　　　（就）（可）

(3) 联欢会＿＿＿进行了＿＿＿一个多小时。　（只）

(4) 他＿＿不＿＿工作好，＿＿＿思想＿＿好。（光）（也）

(5) ＿＿火车＿＿开了，＿＿＿他＿＿赶来。（快要）（才）

(6) 青年人学点儿历史＿＿＿＿＿＿＿是＿＿＿＿＿＿＿必要的。

　　　　　　　　　　　　　　（也许）（十分）

(7) ＿＿＿下午＿＿＿我们＿＿＿上街买东西。　（常常）

(8) ＿＿我们＿＿回到宿舍，＿＿＿张老师＿＿来了。

　　　　　　　　　　　　　　　　（刚）　　（就）

三　选择合适的副词填空（限用一次）：

　　　　极　　最　　再　　还　　没　　已经　　曾经
　　　　光　　就　　都　　竟　　又　　十分　　非常

(1) 有机会，我（　　）想（　　）去一次北京。

(2) 来中国（　　）半年多了，他（　　）想念自己的父母
和朋友。

(3) 这次山西之行，给我留下（　　）深的印象。

(4) 春天是西湖（　　）美的季节。

(5) 五年前我（　　）见过他一面，（　　）想到，几年不见，
他（　　）完全变了样。

(6) （　　）一年开始了，我该怎样走自己的路呢?

(7) 他们俩对中国古典文学（　　）（　　）感兴趣。

（8）这次应聘，（　　）博士（　　）有十几个。

四　用（　）里的副词完成对话：

（1）A　大家都到齐了吗？

　　　B　（都）

（2）A　老张下个星期动身吗？

　　　B　（也许）

（3）A　这次会议很重要，你可一定到会呀。

　　　B　（一定）

（4）A　听说小王、小李通过这次外语考试了，还有谁？

　　　B　（没有）　　（就）

（5）A　我想用那本书，你知道书店里有卖的吗？

　　　B　（没）

（6）A　听说昨天你吃坏肚子了，怎么样？肚子还疼吗？

　　　B　（有点儿）

五　改正下列句子中不适当的地方：

（1）这次到农村，一共我们参观了四个乡镇企业。

（2）先我们预习，然后再老师讲解。

（3）这次考试你也参加了吗？——我也。

（4）每天我能吃到新鲜蔬菜和水果。

（5）他最近工作很忙了，又身体不好，别麻烦再他了。

（6）晚上，常常都大家睡了，才他睡。

（7）他对什么事特别认真，对学习当然认真了。

（8）那时候，修造这样一座长城要多么时间啊！

（9）到中国刚不久，就我们游览了这几个著名的名胜古迹。

（10）这个家庭有共七口人，有四间房子，也一个大院子。

（11）遗憾的是去参加这次会议的就他。

110

（12）经常我们一起谈话，了解互相的思想。

（13）我喜欢美术，也音乐。

（14）老师希望我取得更进步。

第十四课　副　词　（二）

对比分析几组常用副词：

（一）　　　　　　不　　　　没（有）

"不""没有"都有否定的意义，都可以放在动词、形容词前，对动作、性状进行否定。但是它们的用法不同。

"不"：多用于主观意愿，否定现在、将来的动作行为，也可
　　　以用于过去；

"没（有）"：主要用于客观叙述，否定动作、状态的发生或
完成，因此只限于指过去和现在，不能指将来。例如：

　　（1）上次、这次他都没参加，听说下次还不想参加。

　　　　　（客观、过去）　　　　（主观、将来）

　　＊上次、这次他都没参加，听说下次还没想参加。

　　（2）我不吃早饭了。　　　　我没吃早饭呢。

　　　　　（主观、现在）　　　　　　（客观、现在）

▲　否定经常性、习惯性的动作、状况或非动作性动词（是、当、认识、知道、像等），要用"不"。例如：

　　（3）他从来不迟到。

　　（4）他既不抽烟，又不喝酒。

　　（5）我不知道这样做对不对。

▲　用在形容词前表示对性质的否定，要用"不"。例如：

　　（6）近来他身体不好，让他休息吧。

　　（7）这种材料不结实，换别的吧。

▲　形容词表示状态未出现某种变化时，要用"没（有）"。例如：

112

(8) 天还没亮，再睡一会儿吧。

(9) 我没着急，只是有点儿担心。

（二）　才　　都　　就

"才"跟"都""就"在表示时间早晚长短、年龄大小、数量多少的意义上，都含有主观评价性，有相对立的意义。这时"才"可以看作两个——才₁、才₂。

▲"才₁"和"就"：

"才₁"表示说话人认为时间晚、时间长、年龄大、数量多等。

"就"表示说话人认为时间早、时间短、年龄小、数量少等。

例如：

(1) 八点才上课，你怎么七点就来了。
　　　　　（晚）　　　　　（早）

(2) 我排了半天队才买到，你这么一会儿就买到了。
　　　　　　　（长）　　　　　　　　（短）

(3) 哟，真不得了！这孩子不到一岁就会说话了，我那个丫头一直到五岁才会说话。　（年龄小）
　　　（年龄大）

(4) 我跑了好几趟，才找到他。
　　　　　　　　（数量多）

(5) 这么多单词，他背了两遍就记住了。
　　　　　　　　　　　（数量少）

▲"才₂"和"都"：

"才₂"表示说话人认为时间早、时间短、年龄小、数量少等。

"都"表示说话人认为时间晚、时间长、年龄大、数量多等。

例如：

(6) 你看人家孩子，才十四岁就上了大学，你都十八了，还在初二。　（年龄小）　　　（年龄大）

(7) 才五点，你怎么就起床了？

113

（时间早）

(8) 都下半夜两点了，快睡吧！

（时间晚）

(9) 才两件毛衣，不够穿的，再买两件吧！

（数量少）

(10) 都三十五万字了，太多了，最好在三十万字以内。

（数量多）

▲"才₁""才₂"有相对的意义，它们在结构顺序上、与"就""都"的配合上有差别：

顺序上：　时间、数量词语等（……）＋才₁……

　　　　　才₂＋时间、数量词语等……

配合上：　都……了，才₁……

　　　　　才₂……就……

(11) 都三十八岁了，才结婚。（＊都三十八岁，才结婚）

（年龄大）　　　（时间晚）

(12) 都十二点多了，才下课。

（时间晚）　　　（时间晚）

(13) 才十二岁　　就承担起家庭重担了。

（年龄小）　　　（时间早）

(14) 通知我们八点发车，现在才七点半车怎么就走了。

（时间早）（时间早）

（三）　　再　　又　　还　　也

"再""又""还""也"都是表示频率或重复的副词。表示重复或继续时，其意义有所不同：

▲"再""又"：在表示动作重复发生或继续进行时，"再"表示主观性，多用于未完成；"又"表示客观性，多用于已完成或者新情况已出现或即将出现。例如：

再写一遍　　（主观、待重复）

114

又写了一遍　　（客观、已重复）

再坐一会儿　　（主观、待继续）

又坐了一会儿（客观、已继续）

"再"可以用于祈使句、假设句；"又"不可以。例如：

(1) 这件事不着急，过两天再说吧。（＊过两天又说吧）

(2) 你要是再这么不讲理，我就不客气了。

（＊你要是又这么不讲理）

"再"只能用在能愿动词后；"又"只能用在能愿动词前。

(3) 你能再帮帮他吗？（＊你再能帮帮他吗？）

(4) 他又能说话了。（＊他能又说话了）

"再也没（有）/不"表示绝对不再重复、不再继续，含"永远不""到现在没有"的意思。例如：

(5) 那个鬼地方，我再也不去了。

(6) 从那以后，她再也没（有）见到丈夫的面。

▲"还""再"：在表示动作重复和连续时，"还"主要用于说话人或别人在说话前已有某种意愿时；"再"主要用于说话人、听话人说话时临时形成某种新意愿时。例如：

(7) A 实在对不起，明天还得让您跑一趟。

　　 B ——没关系，明天我还要来这儿办事。（原来就打算）

　　　 ——没关系，明天我再来一趟。（临时决定）

(8) 不要急于答复，考虑考虑再说。

(9) 他们还想跟工人们一起劳动劳动。

有时"还""再"侧重强调"持续不变"，这时它们的区别主要在持续时间上："还"强调到现在；"再"含有向后持续。

(10) 你怎么还看哪，都十二点了。

（说话人强调动作持续不变到现在）

(11) 你再不说，我就不理你了。

（说话人强调动作继续保持不变到某时点，含假设意味）

"再"可以用于祈使句；"还"一般不用于祈使句。

（12）咱们再玩一会吧！（＊咱们还玩一会吧）

"再""还"同时出现在一个句子中，是为了强调动作行为的重复或继续。例如：

（13）北京真好，我还想再去一次。

▲"也""又"：都有表示相同的意义，但是"也"多表示和他人动作相同；"又"多表示和自己以前的动作相同。例如：

（14）小王病了，小李也病了。

（15）小王不是前些日子病了一次吗，怎么又病了？

在对话环境中：

（16）你也来了。（暗含在这之前，有人做了跟他同样的动作）

（17）他又去了。（暗含在这之前，他做过跟现在同样的动作）

（四）　　　太　　很　　真　　更

"太""很""真""更"都有表示程度深的意义，不同在：

▲"太"：有主观评价性，程度过头，多用于不如意的事情；也可表示程度高，多用于赞叹。句末常带"了"。例如：

（1）　　车开得太快了，太危险了。（不如意）

（2）　　屋子太乱了，快收拾一下吧。（不如意）

（3）　　这本小说太吸引人了。（赞叹）

▲"很"：表示程度高。跟"太""真"比，侧重于客观。例如：

（4）　　他们的生活很幸福。

（5）　　孩子们玩得很开心。

注意"太"与"很"的差别：

116

＊　他们说着、笑着，一直到太晚。（太→很）

　　＊　在中国，我跟中国人谈话的机会太多。（太→很）

用"太"时，句末常带"了"；"很"不用。

　　＊　他最近工作很忙了。

　▲"真"：有"实在"的意思，用来加强肯定，带有一定的感情色彩。结构上跟"很"最大的差别在于："真＋形容词"在句中不能作定语。例如：

　　＊　中国的女人是真幸福的女人啊！

　　＊　我跟别的留学生进行了真有意思的交流。

真＋形容词"可以作谓语和补语。例如：

　　（6）　长城真雄伟啊！

　　（7）　校园修整得真漂亮啊！

　▲"更"：跟"很""太""真"最大的不同是用于比较，表示比原有的程度或情况又进一层。例如：

　　（8）　我爱这里的山水，更爱这里的人民。

　　（9）　他比以前更懂事了。

"很"只表示程度高，"更"则表示原来就有一定的程度，现在又进一步，因有程度的变化，句尾常带"了"。例如：

　　△　他学习很努力、很刻苦。

　　　　他学习更努力、更刻苦了。

　　△　我很喜欢这个地方。

　　　　我更喜欢这个地方了。

练习十四

一　选词填空：

　　1　　　不　　　　　没（有）

　　（1）　你（　　）了解情况，就（　　）要乱说话。

117

(2)　下午我一直（　　）看到他。

(3)　上次请他他都（　　）来，这次（　　）请他，他当
　　然更（　　）来了。

(4)　昨天晚上（　　）睡好，今天（　　）想去玩了。

(5)　你怎么还（　　）走哇，去晚了，人家会（　　）高
　　兴的。

(6)　我（　　）生气，只是心里有点儿（　　）舒服。

2　　　　才　　　都　　　　就

(1)　这孩子（　　）十来岁，（　　）懂那么多事情。

(2)　球队成立（　　）一个月，队员（　　）已经发展到
　　四十来个人了。

(3)　我十二岁（　　）离开了家乡，直到新中国建立后，
　　（　　）回去。

(4)　（　　）九点了，你怎么（　　）走?

(5)　你真聪明，一讲（　　）明白了。

(6)　我练了半天（　　）记住，小明只看了一会儿（　　）
　　全记住了，还是小孩子的脑子好用呀。

(7)　（　　）一个星期（　　）把设计拿出来了。

(8)　（　　）四天了，（　　）到上海。

3　　　　再　　　又　　　　还　　　也

(1)　看着年青人一张张激动的脸，我这满头白发的人
　　（　　）激动了起来。

(2)　那个外文电影我虽然（　　）看了一遍，但是（　　）
　　没全部弄懂。

(3)　实验虽然失败了，但是我（　　）想（　　）实验一次。

(4)　你的病虽然好了，但是（　　）需要（　　）休养一
　　段时间。

(5)　天（　　）阴了，可能（　　）要变天了。

118

(6)　风（　　）停了，雨（　　）住了，我们该走了。

(7)　时间（　　）早呢，咱们（　　）学习一会儿吧。

(8)　想到这里，他（　　）（　　）躺不下去了。

(9)　小李没在，票取不了了。——那我明天（　　）来。

(10)　你怎么（　　）干哪，不吃饭啦？

4　　　　太　　　很　　　真　　　更

(1)　这个菜如果加一点儿糖会（　　）好吃。

(2)　她是一个（　　）出色的女人。

(3)　这孩子（　　）好，（　　）懂事呀！

(4)　你们也（　　）不关心孩子们的身心健康了。

(5)　这件衣服（　　）好，穿上一定（　　）舒服。

(6)　她比以前（　　）不愿意说话了。

(7)　（　　）多的关心会使孩子失去自理能力。

(8)　这个话题大家都（　　）感兴趣，就用这个话题吧。

二　判断选择正确的解释：

例：她和小王的发言都相当精彩。

　　a 两方面差不多　b 合适　○c 程度高　d 程度低

(1)　你们的顾虑太多了。

　　a 程度过头　b 高度赞叹　c 加强肯定　d 高大

(2)　这么重要的事情怎么才跟我说。

　　a 数量多　b 数量少　c 时间早　d 时间晚

(3)　这个计划大家都同意了吗？

　　a 数量多　b 总括全部　c 甚至　d 已经

(4)　他从小就爱学习。

　　a 加强肯定　b 范围小　c 时间早　d 短时间内

(5)　这次没考上，下次再争取。

　　a 另外　b 程度增加　c 已实现重复　d 未实现重复

（6）　几年不见了，你还是老样子。
　　　a 仍然　b 更进一层　c 勉强过得去　d 居然如此

三　把下列句子改成否定句：
　（1）听说今天足球赛的门票很贵。
　（2）今天天气很好，我们出去玩玩吧！
　（3）昨天晚上我去小王那儿了。
　（4）李老师说今天晚上给我打电话。
　（5）他们昨天试过一次机器了，打算明天再试一次。
　（6）你应该多买几幅画儿。
　（7）他比我高了不少。
　（8）春假的时候，他想去泰山旅游。
　（9）这家旅馆的条件比我们住的那家好。
　（10）我参观过那儿的经济开发区。

四　根据下文的意思，选择适当的副词填空：
　　　　　再　　又　　就　　才　　还　　也　　多么
　　　　　只　　更　　很　　太　　真　　不　　没（有）

　　1　我和李伟是同学，（　）是朋友。我们两家离得（　）
近，从他家到我家用（　）上两分钟（　）到了。我们俩不但一
块儿上学、回家，（　）常常一起写作业，不久（　）成了离
（　）开的好朋友。

　　2　李伟用了整整两天时间做了一只大风筝，这只风筝（　）
是（　）漂亮了！我（　）喜欢它了！一写完作业，我（　）想
去放飞，求了半天，李伟（　）勉强同意。我（　）高兴，拿起风
筝（　）跑了出去。

　　3　风筝越飞越高，我（　）越玩越高兴。一个多小时过去
了，（　）（　）想收兵。突然，风筝（　）快地向南飞去，一

120

下子（　·）缠到一棵高大的杨树上。我急忙用力往下拽，风筝不但（　）下来，反而缠得（　）紧了。我（　）紧张了，（　）一次使足了劲儿。劲儿用得（　）大了，绳子自己飘了下来。

　　4　李伟（　）说什么，（　）是一脸的伤心，我（　）难过和不安了。几天过去了，我（　）是（　）知道怎样去面对李伟。

　　5　一天，李伟举着一只比上次（　）漂亮的风筝来到我家，笑着说："（　）躲着我呀？瞧，风筝（　）是（　）有了吗？我（　）做了两只，这只是送给你的。"我激动极了！他（　）埋怨我，（　）送来风筝宽慰我，这是（　　）真诚的友情啊！

五　改正下列句子中不适当的地方：
　　(1) 她买了一件太漂亮的毛衣。
　　(2) 刚才去找过他，不找到。
　　(3) 这种白酒他从来不喝过。
　　(4) 他从来没抽烟，没喝酒。
　　(5) 今天虽然没刮风了，可是够冷的。
　　(6) 为了学习和工作，她一直到三十岁就结婚了。
　　(7) 玩的时候不感到累，晚上躺到床上就感到累。
　　(8) 我爱这里的生活、这里的田野，再爱这里朴实的农民。
　　(9) 这件事给我留下了真深的印象。
　　(10) 山本今年春假再去了一次北京。
　　(11) 在这里跟各国留学生交流还是真重要的学习。
　　(12) 我到这里时已经四月了，这里的天气还太冷。
　　(13) 她还没到十二岁才离开家乡了。
　　(14) 他没爱打排球，只爱踢足球。
　　(15) 一个月以后，我再看见了他，他瘦了太多。
　　(16) 都十点了，就开始工作。
　　(17) 你说得太精彩了，还给我们说一说吧！

第十五课　副　词　（三）

一　某些副词的选择限制条件：

（一）跟否定形式搭配时的限制：

1　一部分副词只能在它的后面用否定词，尤其是时间副词、语气副词和情态副词，还有一些其他副词。例如：

> 才　又　稍微　更加　决　未必
>
> 从来　一直　永远　忽然　本来　差点儿
>
> 简直　反正　根本　几乎　仍然　渐渐

例如：

（1）　那个鬼地方，我才不去呢！（＊我不才去呢）

（2）　这件事他从来没跟我说过。（＊没从来跟我说过）

注意："几乎""差点儿"在表示主观上不希望发生的事情时，动词的肯定式跟动词的否定式意思相同。例如：

（3）　他俩越吵越凶，几乎没打起来。（没打起来）

　　　　他俩越吵越凶，几乎打了起来。（没打起来）

2　有的副词只能在它的前面用否定词。常见的有：

> 马上　一起　一块儿　光　净．曾

例如：

（4）　我们还要等一会儿，不马上走。（＊马上不走）

（5）　我未曾见过王力，却好像早认识他了。（＊曾未见过）

3　有的副词前后都可以用否定词，但是表达的意思不同。例如：

（6）　都　他们都不喜欢看电影。（全体）

他们不都喜欢看电影。（部分）

(7)　全　　这些词他们全没学过。（全体）

这些词他们没全学过。（部分）

(8)　太　　他学习时太不专心了。（程度高）

他学习时不太专心。（程度低）

(9)　很　　那儿交通很不方便。（程度高）

那儿交通不很方便。（程度低）

(10)一定　这件事他一定不知道。（有绝对把握）

这件事他不一定知道。（没有把握）

（二）对词语的积极意义、消极意义进行选择：

1　一般只对表示积极意义的词语进行修饰。例如：

　　老远　（＊老近）　　　　　老长　（＊老短）

　　差不多高（＊差不多矮）　　差不多重（＊差不多轻）

2　一般只对表示消极意义的词语进行修饰。例如：

　　有点儿马虎　　　　　　有点儿糊涂

　　＊有点儿仔细　　　　　＊有点儿清楚

　　有点儿生气　　　　　　有点儿不舒服

　　＊有点儿愉快　　　　　＊有点儿舒服

多用于否定：

　　根本不相信　　　　　　根本不习惯

　　根本不了解　　　　　　根本没同意

　　＊根本了解　　　　　　＊根本同意

二　某些副词结构上较为固定的搭配形式：

（一）跟"了""过"等动态助词搭配：

　　已经……了/过　　衣服已经干了。

　　　　　　　　　　＊衣服已经干。

　　　　　　　　　　（单音节动词必带"了"）

123

他到中国已经五年了。

这件事我们已经处理过。

曾经……过/了　　我曾经在这里住过三年。

　　　　　　　　＊我曾经在这里住三年。

　　　　　　　　他曾经学过汉语。

　　　　　　　　为这事我曾经忙了好几天。

（二）跟"的""了""啊""啦"等语气助词搭配：

怪……的　　　　怪累的　　　怪可爱的

　　　　　　　　＊这孩子怪可爱。

快……了　　　　快到了　　　快中午了

　　　　　　　　＊快中午，该吃饭了。

太……了/啦　　　太难了　　　太有意思了

　　　　　　　　（尤其表示赞叹时）

　　　　　　　　＊今天的电视太有意思。

可……了/啦　　　可美了　　　可年轻啦

　　　　　　　　＊北京颐和园的风景可美！

（三）跟"数量短语"搭配：

稍微（稍稍）＋动词＋一点儿/一些/一下……等

　　　　　　　　我想稍微休息一下。

　　　　　　　　＊我想稍微休息。

　　　　　　　　给咖啡里稍稍放点儿糖。

　　　　　　　　＊给咖啡里稍稍放糖。

稍微（稍稍）＋形容词＋一点儿/一些……等

　　　　　　　　我的心情稍微平静了些。

　　　　　　　　＊我的心情稍微平静了。

　　　　　　　　这双鞋稍稍大了点儿。

　　　　　　　　＊这双鞋稍稍大了。

稍微（稍稍）＋有点儿＋动词/形容词

124

他对这儿稍稍有点儿不习惯。

*他对这儿稍稍不习惯。

他学习稍微有点儿吃力。

*他学习稍微吃力。

练习十五

一　选择合适的否定副词，填到适当的位置上：

(1) 我＿＿＿才＿＿＿相信你那套大道理呢。

(2) 书架上的杂志＿＿＿都＿＿＿是科技类的，还有文学类的。

(3) 我们班的学生一个＿＿＿也＿＿＿去。

(4) 我们＿＿＿光＿＿＿谈了学习，还谈了一些其它的事情。

(5) 这一趟＿＿＿太＿＿＿顺了，事情＿＿＿差点儿＿＿＿办成。

(6) 他们＿＿＿一起＿＿＿去了，小王身体＿＿＿太＿＿＿好。

(7) 虽然实验失败过几次，可是他＿＿＿从来＿＿＿灰心过。

(8) 最近他太忙了，晚会可能＿＿＿一定＿＿＿来。

(9) 我＿＿＿一定＿＿＿会忘记您的嘱咐，请您放心。

(10) 我们只是创造了一个良好的开端，路还长着呢，大家可＿＿＿决＿＿＿能骄傲呀。

(11) 这次旅游时间有点儿紧，所以去的地方＿＿＿很＿＿＿多。

(12) 困难这么多，我＿＿＿简直＿＿＿知道怎么办才好。

(13) 能取得这样的成绩已经＿＿＿很＿＿＿简单了。

(14) 今天这件事＿＿＿全＿＿＿是他的错，我也有责任。

(15) 毕业考试时，他没考好，＿＿＿几乎＿＿＿拿到毕业证书。

(16) 东西他＿＿＿全＿＿＿要，只要大家能认他作朋友就行。

二　选择搭配（限用一次）：

怪　　　　　　　　多啦

稍稍　　　　　　　看了
已经　　　　　　　慢点儿
快　　　　　　　　去过
太　　　　　　　　改一下
可　　　　　　　　贵了
曾经　　　　　　　放假了
稍微　　　　　　　难受的

三　给下列副词各找出三个能够跟它们搭配的词语写在＿＿上：

老　　　　＿＿＿＿＿　＿＿＿＿＿　＿＿＿＿＿

差不多　　＿＿＿＿＿　＿＿＿＿＿　＿＿＿＿＿

有点儿　　＿＿＿＿＿　＿＿＿＿＿　＿＿＿＿＿

根本　　　＿＿＿＿＿　＿＿＿＿＿　＿＿＿＿＿

已经　　　＿＿＿＿＿　＿＿＿＿＿　＿＿＿＿＿

曾经　　　＿＿＿＿＿　＿＿＿＿＿　＿＿＿＿＿

稍微　　　＿＿＿＿＿　＿＿＿＿＿　＿＿＿＿＿

怪　　　　＿＿＿＿＿　＿＿＿＿＿　＿＿＿＿＿

可　　　　＿＿＿＿＿　＿＿＿＿＿　＿＿＿＿＿

太　　　　＿＿＿＿＿　＿＿＿＿＿　＿＿＿＿＿

快　　　　＿＿＿＿＿　＿＿＿＿＿　＿＿＿＿＿

四　用括号中的副词完成对话（注意顺序）：

1　A 你每天下午都去打网球吗？

　　B ＿＿＿＿＿＿（不）（都），一个星期只去三天。

2　A 这些人你都不认识吗？

　　B ＿＿＿＿＿＿（不）（都），我第一次跟这样的人打交道。

3　A 他成绩怎么这么差，学习不努力吗？

　　B ＿＿＿＿＿＿（不）（太），不上课，也不写作业。

4　A 你习惯这里的生活了吗？

　　B ＿＿＿＿＿＿（不）（太），不过越来越习惯了。

5　A 你们怎么这时候才来，途中不顺利吗？

　　B ＿＿＿＿＿＿（不）（很），处处塞车。

6　A 你觉得用汉语跟他们交谈很难吗？

　　B ＿＿＿＿＿＿（不）（很），还可以谈起来。

7　A 希望你们克服困难，按期完成任务。

　　B 请老师们放心，＿＿＿＿＿＿＿＿＿＿＿＿＿＿＿。

　　　　　　　　　　　　　　　（不）（一定）

8　A 这种壁毯不错，还买得到吗？

　　B 我买的时候人多极了，＿＿＿＿＿＿＿＿＿＿。

　　　　　　　　　　　　　　　（不）（一定）

五　改正下列句子中不适当的地方：

　　(1) 这里的情况他根本了解了。

　　(2) 这本教材稍微难了。

　　(3) 她们不本来认识，因为我才认识的。

　　(4) 这两种绸子差不多好，要哪一种都可以。

　　(5) 他们的业余生活可丰富。

　　(6) 五年前他曾经来中国。

　　(7) 信已经寄，过两天她就会收到的。

　　(8) 火车快开，快上车吧。

　　(9) 这次出国，他不根本有希望。

　　(10) 多听一点儿反面意见，不未必好。

　　(11) 他只关心自己，不从来关心别人。

　　(12) 我们那儿学习条件有点儿好，交通也有点儿方便。

综合练习五

一 将左右两侧可以搭配的词语用线连接起来（限用一次）：

怪　　　　　怎么办
到底　　　　考试了
曾经　　　　不好意思的
快　　　　　难了点儿
已经　　　　学过
根本　　　　难受
稍微　　　　不相信
有点儿　　　厚
差不多　　　不放弃
决　　　　　三个月了

二 选择填空：

1 他们上午____出发了，你怎么现在____来？

A 才　B 就　C 都　D 刚

2 ____往里走，天山越来越显得优美。

A 又　B 再　C 更　D 也

3 ____五点了，他怎么____没来？

A 还　B 也　C 都　D 才

4 ____谈了几句话就知道他是一个____精明的人。

A 都　B 只　C 真　D 很

5 他做事情____马虎了。

A 很　B 非常　C 极　D 太

6 听了这话，她心中____难过了。

A 更　B 最　C`很　D 挺

128

7 年青时____做过许多梦，后来有的实现了，有的恐怕永远
____实现不了了。
　　　A 又　B 曾经 C 也　　D 已经
8 我还____学会，你____教教我吧！
　　　A 不　B 没　C 再　　　D 还

三 根据句子意思，选择适当的副词填空：
　　　很　　太　　没　　才　　只　　还
　　　又　　再　　不　　就　　都　　刚
　　　一直　实在　忽然　几乎　正在　常常
1 天还（　）晴，等晴了（　）走吧。
2 （　）大学生了，（　）不会自己照顾自己。
3 他（　）起床，（　）洗脸呢。
4 山头上（　）漫起好大的云雾，（　）浓（　）
湿。
5 我（　）困极了，（　）想休息休息。
6 我（　）两年（　）看到他了。
7 他工作（　）忙了，晚上（　）只睡三、四个小时
的觉。
8 张部长的报告（　）到十二点（　）结束。
9 怎么（　）住了两天（　）走哇，（　）住几天
吧。

四 将（　）中的副词填到句中适当的位置上：
1 不但我听了高兴，____他____听了____高兴。（也）
2 我来看你好几趟了，____你____在家。（都）（不）
3 ____过____几天，她____二十岁了。（就）（再）
4 我爱春天，____但____我____爱秋色。（更）

129

5　地球上的光明和温暖____是____太阳____送来的。（都）

6　这些珍品他____从来____舍得拿给别人看。（不）

7　他____想____去，所以____去。（没）（不）

8　____飞机下午____开，____你怎么____现在____来了。

（才）（就）

五　用括号中的副词完成对话（注意顺序）：

1　A 这些书他都读过吗？

　　B ＿＿＿＿＿＿＿＿＿＿＿。（不）（一定）

2　A 你们那儿夏天也这么热吗？

　　B ＿＿＿＿＿＿＿＿（没），比这儿好过多了。

3　A 这次去农村参观，全体同学都去吗？

　　B ＿＿＿＿＿＿＿（都）（不），初级班的同学下次去。

4　A 我们部的改革方案上级领导全同意了吗？

　　B ＿＿＿＿＿＿＿（全）（没），有两项还需要商量。

5　A 那种沙发怎么样？

　　B ＿＿＿＿＿＿＿＿＿（好像）（十分）（不），看上

　　去不像是很舒服的样子。

6　A 这次活动没参加的人多吗？

　　B 不多，＿＿＿＿＿＿＿＿＿＿＿＿。（就）（没）

六　改正下列句子中不适当的地方：

（1）都跑了三趟，就借到这本书。

（2）没有太阳，就我们没有这个美丽可爱的世界。

（3）他们每天几乎通信，交换着各种意见和研究成果。

（4）先小王演示一遍，再然后大家做。

（5）那天以后，再我们俩也不见过面。

（6）你检查得不太仔细了，又来一遍吧。

（7）这些问题他根本明白了。

（8）这种产品的质量稍稍差，不如那种好。

（9）这两本书差不多容易，用哪一本都行。

（10）杭州的风景有点儿美，就去杭州玩玩吧。

（11）在这里，无论走到哪里会得到热心人的帮助。

（12）黄山他从来不去过。

（13）她找了好半天就把钥匙找到了。

（14）在这里我获得了真可贵的人生体验。

第六单元

介词

介词主要放在名词、代词或名词性短语前，组成介词词组后，用以修饰动词、形容词。

第十六课　介　词　（一）

（一）常用的介词有：

在	于	从	自	朝	由
向	往	当	对	对于	关于
至于	跟	和	同	为	为了
给	替	将	把	叫	被
比	按	按照	依照	照	根据
以	凭	沿着	随着	朝着	除了

（二）介词不能单独使用，它总是跟名词性词语组成介词词组，在句子里作句子成分。例如：

（1）他比我更了解这里的情况。

（2）小李从早上一直工作到现在。

（3）关于工作安排问题，我们下次再研究。

（4）在业务能力上，他们俩差不多。

▲注意介词后词语的名词性。例如：

  * 关于研究这个问题，明天再说。

  关于这个问题的研究，明天再说。

  * 在打开销路，他动了不少脑筋。

  在打开销路方面，他动了不少脑筋。

▲介词词组一般不能独立单说，但在对话环境中，有时可以单独回答问题。例如：

  （5）下午在哪儿开会？——在大会议室。

  （6）我们下次研究什么问题？——关于工作安排问题。

（三）介词后不能带"了""着""过"等动态助词。

  * 他在着/了房间里睡觉。

  * 我对了/过他说。

"朝着""随着""沿着""为了""除了"的"着""了"不是动态助词，而是这些介词本身的构成成分。

（四）几组介词的对比分析：

1 从 自 由 打

都可以表示起点，尤其是时间、处所的起点。例如：

表示时间：

  （1）从上一周我们就开始上课了。

  （2）由明年一月开始执行新方案。

  （3）自古以来，泰山一直为游人们所喜欢。

  （4）打明天起，不用你来照顾我了。

表示处所：

  （5）人们从四面八方涌进广场。

  （6）下午两点，由公司乘车出发。

  （7）本次列车自北京开往上海。

  （8）小明打屋子里跑了出来。

比较起来，"自"多用于书面语，"打"多用于口语。

"自"还可以组成介词词组作表示处所意义的补语。例如：

  (9) 他的朋友来自世界各国。

  (10) 她一声声的道谢完全发自内心深处。

▲ "从""由"还可以表示发展、变化、范围的起点。例如：

  (10) 由不懂到懂，需要经过一段艰苦的学习过程。

  (11) 他从一个农家孩子成长为一名优秀的大学生。

  (12) 从学习、工作到生活问题，我们都应该解决好。

▲ "从""由"除表示"起点"意义外，还可以表示经过的路线、场所。例如：

  (13) 阳光从树缝中射了进来。

  (14) 请观众由东西两门出场。

▲ "由"还有引进动作发出者的作用。例如：

  (15) 这项工作由他负责。（他负责这项工作）

  (16) 班长由你担任。（你担任班长）

2 对 跟 给

"对""跟""给"都可以引进动作的对象，在指示与动作有关的对象（只限于指人的名词性词语）时，有时可以互换使用。例如：

  (1) 他给/跟/对我使了一个眼色。

  (2) 把你的想法给/跟/对大家说一说。

但是在更多的情况下，它们是有区别的。主要区别在：

"对"指示动作对象、予以对象某种态度；

"跟"指示协同动作或与动作有关的人或事物；

"给"引进接受者或受益、受害者。例如：

  (3) 这段时间的学习对我很有帮助。

         （＊跟/给我很有帮助）

  (4) 我对你报有很大希望。（＊跟/给你报有很大希望）

（5）她不想跟我见面。（＊给/对我见面）

（6）这份计划还需要跟老师商量商量。

（＊给/对老师商量商量）

（7）给小李去个电话。　（＊对/跟小李去个电话）

（8）他要把自己的全部知识才能献给科学事业。

（＊献对/跟科学事业）

"给"构成的介词词组在句中可以有两个位置：动词前、动词后；"跟""对"构成的介词词组只能出现在动词前。

3　对　朝　向　往

在指示动作对象的意义上，"对""朝""向"有时可以互换使用。例如：

（1）他对/朝/向我挥了挥手。

▲"对"跟"朝""向"比，还有"对待"的意义。例如：

（2）她对我非常热情。（＊朝/向我非常热情）

▲"朝""向""往"都可以表示动作方向。例如：

（3）火车朝/向/往北京开去。

但是，"向"可以用在动词后，"朝"不能。"向"构成的介词词组可以用于抽象动词（说明、表示、解释、介绍、负责等）前，"朝"不能，"朝"一般只用于跟身体有关的动词。例如：

（4）河水欢快地流向远方。（＊流朝远方）

（5）我向大家表示感谢。（＊朝大家表示感谢）

▲"往"跟"朝""向"的区别："朝""向"可以表示动作的对象，也可以表示动作的方向。因此它既可以跟表示人、也可以跟表示处所的名词结合；"往"只表示方向，只能跟表示处所的名词结合。例如：

（6）他朝我招招手。（＊往我招招手）

（7）导游小姐向我们介绍了这里的情况。（＊往我们）

（8）他往窗外望去。

4　对　　对于　　对……来说　　关于　　至于

　　"对""对于"都有引出动作对象和相互"对待"的意义，凡用"对于"的地方，都可用"对"，但用"对"的地方，不一定都能用"对于"。表示事物的名词词组前，一般用"对于"；表示人的名词、代词或词组前，尤其是单个词，一般用"对"。例如：

　　（1）对于这起交通事故，一定要做详细的调查。

　　（2）他对部下很和蔼。（＊对于部下）

　　（3）她对孩子从不放松要求。（＊对于孩子）

　　▲"对/对于……来说"表示从某人、某事的角度看。例如：

　　（4）有没有孩子，对我来说，太重要了。

　　（5）对于我们的战士来说，没有克服不了的困难。

　　▲"关于""对于"："关于"表示动作涉及的范围，"对于"引出与动作有相互关系的对象。当两种意义都含有时，两词可以互换。例如：

　　（6）关于这个湖，还有一段美丽的传说呢。

　　（7）对于（关于）你们的建议，领导会认真考虑的。

　　在句子形式上，"关于"构成的词组，只能出现在句子前，"对于"构成的词组在句子前、句子中（动词前）都可以。例如：

　　（8）关于今年的工作安排，我们下次讨论。

　　　＊我们关于今年的工作安排下次讨论。

　　（9）对于这里的风俗，我还不很熟悉。

　　　我对于这里的风俗还不很熟悉。

　　▲"对于""关于"是就一个话题来说的，"至于"是在原话题之外，引进另一话题。例如：

　　（10）这只是我个人的想法，至于行不行，还得看大家的意见。

　　（11）活动就这样定了，至于具体计划，你们再研究吧。

5　"在"与方位词

"在"构成介词词组可以表示动作的处所、范围等。例如：

(1) 大家先在这儿休息一下。（表示处所）

(2) 她在同学中很有人缘。（表示范围）

▲"在"常与方位词"上""下""中""里""内""前""后""外"及"中间""当中""之间""之前""之后"等结合起来表示时间、处所、范围、条件、方面等。例如：

(4) 在他回国之前，我们还见过面。

(5) 他们俩在阅览室里整整看了一天的书。

(6) 在众多朋友之中，我们俩最要好。

要注意的是，表示空间、范围、方面、条件时，"在"必须与方位词构成相应的词组。例如：

(7) *在众多朋友，我们俩最要好。

(8) *这件事一定要在思想引起注意。

▲"在……上"：主要表示方面、空间范围、条件等。

(9) 他在搜集邮票上，下了不少工夫。

(10) 科学技术是一种在历史上起推动作用的革命力量。

(11) 在大量实验的基础上，他又作了理论上的总结。

▲"在……中"：主要表示环境、范围里等。

(12) 青年人要在艰苦中奋斗，在奋斗中创业，在创业中成长。

(13) 他在研究生物工程工作中取得了可喜的成绩。

▲"在……下"：主要表示前提条件。

(14) 在大家的帮助下，他很快就适应了这里的生活。

(15) 这些作品是在老作家的指导下创作出来的。

练习十六

一　选择适当的介词填空：

137

1 A 从 B 由 C 自 D 打

（1）这些东西是____哪儿弄来的？

（2）她____昏迷中慢慢苏醒过来。

（3）____去年以来，他一直专注于这项研究。

（4）这项工程的具体情况____李工程师向你们做介绍。

（5）好的文学作品都是来____生活，又高于生活。

（6）他____一名普通的工人成长为高级技术人员。

（7）明天早上我们____学校门口出发。

（8）小王____感冒引起了肺炎。

2 A 对 B 跟 C 给

（1）人类____月球的研究还刚刚开始。

（2）你____我们当翻译吧！

（3）虽然只有一个月，可他们____王师傅学到不少技术。

（4）小李！你去邮局时____我寄一封信，好吗？

（5）店里的服务员____顾客非常热情。

（6）下午我去你那儿，____你商量点儿事。

（7）他____音乐的渴望使他忘掉一切。

（8）小李来电话找过你，你____他去个电话吧！

3 A 对 B 朝 C 向 D 往

（1）她恭恭敬敬地____大家鞠了一躬。

（2）他____公司汇报了近期的工作情况。

（3）水____低处流，人____高处走。

（4）他____我的关怀，我永远不会忘记。

（5）青年人应该____前看，____前走，不断争取进步。

（6）这一班次的飞机是飞____东京的。

（7）这些孩子正以新的姿态，迎着太阳，走____光明。

（8）他____我有意见。

4 A 对 B 对于 C 关于 D 至于 E 对……来说

138

(1) ＿＿＿下半年的工作计划，我们还要讨论一次。

(2) ＿＿＿工作中出现的问题，决不能掉以轻心。

(3) 我＿＿＿他十分信任。

(4) ＿＿＿住房问题，学校会帮助解决的。

(5) 在危急时刻他想到的是人民的利益，＿＿＿个人安危，他一点儿也没去想。

(6) 现在，＿＿＿你＿＿＿，学习是第一位的。

(7) 大家＿＿＿这个问题的看法几乎是一致的。

(8) 他已经决定报考研究生了，＿＿＿去哪个学校、学什么专业，还没仔细考虑。

(9) 他＿＿＿什么事都那么认真。

(10) ＿＿＿我＿＿＿，在这儿过春节十分有意义。

5　A　在……上　　B　在……中　　C　在……下

(1) 文学革命＿＿＿创作＿＿＿是从白话诗开始的。

(2) ＿＿＿李老师的启发＿＿＿，大家终于弄明白了这个难题。

(3) 这几位老先生＿＿＿学科建设＿＿＿做出了巨大贡献。

(4) ＿＿＿社会主义制度＿＿＿，实行的是按劳分配。

(5) ＿＿＿古典小说＿＿＿，她最喜欢的是《红楼梦》。

(6) 人只有＿＿＿艰苦的环境＿＿＿，才能磨练意志。

(7) 他＿＿＿没有任何先进设备的条件＿＿＿，自己克服困难，取得这项实验的成功。

(8) 她＿＿＿穿戴＿＿＿十分讲究。

6（每词限用一次）

(1) 在　(2) 从　(3) 向　(4) 往　(5) 自

(6) 比　(7) 当　(8) 跟　(9) 为　(10) 给

(1) 几年来，他一直在（　　）两国人民的友好合作而努力工作着。

(2) （　　）窗外吹进来一股清新的风，使人感到特别舒服。

139

（3）（　　）我们这个集体里，同学之间像亲兄弟一样。

（4）他是来（　　）日本东京大学的一位博士生。

（5）星期六我们打算（　　）中国朋友们开一个晚会。

（6）这趟车开（　　）广州。

（7）请你把这里的情况（　　）来宾介绍一下。

（8）这儿（　　）上海冷多了。

（9）昨天晚上，他从东京发（　　）我一份传真。

（10）每（　　）月圆的时候，我总喜欢去海边看月亮。

二　把介词词组填到适当的位置上：

（1）＿＿＿＿把花瓶＿＿＿＿摆＿＿＿＿吧。（在桌子上）

（2）＿＿＿＿你们＿＿＿＿再＿＿＿＿考虑考虑。

（关于人员的安排问题）

（3）＿＿＿＿我们＿＿＿＿不能＿＿＿＿全信。

（对于他说的那些话）

（4）＿＿＿养母＿＿＿每天＿＿＿做＿＿＿两小时的按摩。（给他）

（5）政府＿＿＿＿调拨了＿＿＿大量食品＿＿＿运＿＿＿。

（往灾区）

（6）＿＿＿一个光着脑袋的小淘气＿＿＿做着＿＿＿鬼脸儿。

（朝我）

三　用（　）中的介词，完成句子或对话：

（1）文章我已经写好了，（至于）＿＿＿＿＿＿＿＿＿。

（2）他在这儿生活了十几年了，（对）＿＿＿＿＿＿＿＿＿。

（3）明天是春节，你到我家来，（跟）＿＿＿＿＿＿＿＿＿。

（4）（往）＿＿＿＿＿＿＿＿＿，弄得墙上这么乱。

（5）这里的老师很负责任，（从）＿＿＿＿＿＿＿＿＿。

（6）这本书，（除了）＿＿＿＿＿＿＿，别的书店都没卖的。

140

（7）（为了）＿＿＿＿＿＿＿＿＿＿＿，他已经连续一个月没
　　休息了。

（8）（自从）＿＿＿＿＿＿＿＿＿，他的汉语有了明显的进步。

（9）A 老李是个什么样的人？
　　B 老李人很好，（对）＿＿＿＿＿＿＿＿，（对）
　　　＿＿＿＿＿＿＿＿＿。

（10）A 今天开会讨论什么问题？
　　　B（关于）＿＿＿＿＿＿＿＿＿＿＿＿＿。

四　改正下列句子中不适当的地方：

（1）我现在住在的那家宾馆，条件好极了。

（2）老师关于我的学习很关心。

（3）他在同学很有威信。

（4）我们生活同一个时代，应该互相理解才对。

（5）在火车站前很拥挤，人山人海的。

（6）他们热情地帮助了我，我非常感谢对他们。

（7）学会生活、广交朋友，这在人生道路是十分重要的。

（8）我看车窗，外边是一大片一大片绿色的田野，美丽极了。

（9）比以前，我觉得他好像不那么厉害了。

（10）这件事以外，别的事都办得很顺利。

（11）我觉得他们的习惯比我差不多。

（12）这个小山村跟城市很远。

（13）在这次旅行，不仅看到美丽的风光，还认识了很多朋
　　　友。

（14）对我，这里就是我的第二个故乡。

（15）离天津到山海关差不多有二百五十公里的路。

（16）我们应该多朝群众学习。

第十七课 介 词（二）

由介词构成的三个特殊句式：

"把"字句　　　"被"字句　　　"连"字句

一 "把"字句

"把"字句是指用介词"把"或"将"，把动词支配的成分，提到动词前来表示的一种句式。基本结构是：

名（施事）＋把＋名（受事）＋动＋其它

例如：

(1) 屋里太热了，把窗户打开吧！　　（打开窗户）

(2) 玛丽把房间布置得漂亮极了。　　（布置房间）

运用"把"字句要注意以下几点：

1 强调处置和动词的处置性

▲强调动作对引进的受事给予积极的影响，使它产生某种结果、发生某种变化或处于某种状态时，才能用"把"字句。

我看完了那本小说。　→ 一般叙述

我把那本小说看完了。→ 强调对受事的处置

▲没有处置性的动作——非动作性动词，不能用于"把"字句。例如：

(3) ＊把花香闻到了。

(4) ＊把他认识了。

不能用于"把"字句的动词主要有以下几类：

感觉、认知——看见、听见、闻见、感到、感觉、觉得、
　　　　　　　以为、认为、知道、懂等

存在、等同——有、在、是；不如、等于、像等

心　　理——同意、讨厌、生气、关心、怕、愿意等

身体状态　——站、坐、躺、蹲、趴、跪等

趋　　向——来、去、上、下、起来、过去等

例如：

(5)＊大家把这个计划同意了。

(6)＊他把沙发坐了一会儿。

(7)＊我把西安去了一次。

2　"把"的宾语有确指性

把那本词典递给我。

＊把一本词典递给我。

"把"字宾语前尽量少用具有泛指意义的"一"。

3"把"的谓语不能是单个动词，尤其是单音动词　例如：

(8)我把今天该办的事都办完了。（＊把该办的事都办）

(9)他把衣服放到衣柜里了。（＊把衣服放）

(10)把这杯奶喝了吧。（＊把这杯奶喝吧）

一般来说，"把"字句的动词含有"分离开"的意义时，动词后只接"了"，结构上是允许的。这类动词如：脱、拆、倒、扔、寄、发等。例如：

(11)他把毛衣脱了。（＊他把毛衣穿了。）

"把"字句动词后一般要求接其它成分，这类成分包括：动词重叠式、动态助词"了"、补语、宾语等。例如：

(12)咱们把屋子打扫打扫。（重叠）

(13)把这些词记住。（补语）

(14)把这件事告诉他吧。（宾语）

二　"被"字句

"被"字句是指用介词"被"或"叫""让"等引进动作施事

的一种句式。句子的主语是动作的受事。基本结构是：

名（受事）＋被＋名（施事）＋动＋其它

例如：

（1）敌人被我们打败了。（我们打败敌人）

（2）他被公司开除了。（公司开除他）

"被"书面语色彩较浓，口语中常用"叫""让"；"被"的宾语有时可以不出现，"叫""让"的宾语则必须出现。例如：

（3）他被老师批评了一顿。 （他被批评了一顿）

（＊他叫/让批评了一顿）

（4）困难终于被大家克服了。（困难终于被克服了）

（＊困难终于叫/让克服了）

运用"被"字句要注意以下几点：

1 "被"字句和"把"字句一样，动词都是具有处置意义的动词。能进入"被"字句的动词比"把"字句范围稍大一些，如"看见""听见"等感觉动词、"知道""认为"等认知动词等可以进入"被"字句。例如：

（5）那件事让他知道了。

（6）他们俩的话被老王听见了。

但是，表示人体自身部位动作的动词一般不用于"被"字句。例如：举（手）、抬（头）、踢（腿）、睁（眼）等。但是却可以用于"把"字句。

＊头被他抬了起来。 ＊手被我高高地举了起来。

他把头抬了起来。 我把手高高地举了起来。

2 "被"字句的主语即受事是确指的。例如：

（7）那封信被李明取走了。（＊一封信被李明取走了）

（8）最后一张票被一位老人买去了。（＊一张票被老人买去了）

144

3 "被"字句谓语不能是单个动词，动词后要有其他成分。例如：

(9) 他被敌人捆了起来。（＊他被敌人捆）

(10) 今天忘带伞了，被雨淋了。（＊被雨淋）

4 "被"字句多数用于不如意、不愉快的事情，特别是在口语中。（见上述例句）

另外，"把/被"句表示否定意义时，否定词应在"把/被"前。例如：

(11) 困难没把他们吓倒。（＊把他们吓不倒/把他们没吓倒）

(12) 小树没被大风刮倒。（＊被大风刮不倒/被大风没刮倒）

三 "连"字句

用表示强调的介词"连"跟副词"都/也"前后呼应的一种句式。即：

基本结构是：

连……都/也＋动（……）

例如：

(1) 连小孩子都懂得这个道理。

(2) 连蚂蚁都知道保全性命，何况人呢。

"连"字句意义上的最大特点是隐含比较。

小孩子 → 懂 ；　　大人 → 更懂

蚂蚁 → 知道 ；　　人 → 更知道

"连"可以附着在名词、动词、数量词、小句前。例如：

(3) 连山上都盖上了楼房。（名词）

(4) 这样的怪事，我连听都没听过。（动词）

(5) 这个月他连一天也没休息过。（数量词）

145

（6）连每一步棋是怎么下的他都记得。（小句）

运用"连"字句要注意：

△ "连"附在动词、数量词前时，谓语大多是否定形式、数词一般用"一"。

（7）他连看电影都不喜欢。

（8）我连一分钟也等不下去了。

△ "连"附在小句前时，小句由疑问代词或不定数词构成。

（9）连他住在哪儿我都不知道。

（10）连多少钱一斤都不知道，怎么算？

练习十七

一 按要求变换句式：

（一）变换成"把"字句：

（1）收拾一下房间。

（2）她晾衣服在绳上。

（3）小李嫌热，脱了外衣。

（4）这件事气坏了小王。

（5）借给他了一本书。

（6）这两个问题我终于弄明白了。

（7）他详细地介绍了一遍机器的使用功能。

146

（8）我记住了这篇文章的全部内容。

（二）变换成"被"字句：

（1）小强骑走了我的自行车。

（2）别人蒙上了他的眼睛。

（3）解放军把她的病治好了。

（4）群众拒绝了他的要求。

（5）雷声把他从梦中惊醒。

（6）雨水把石级小路洗刷得分外明净。

（7）我从图书馆里借出来了一本书。

（8）他挂地图在墙上。

（三）将下列句子的意思用"连"字句表示：

（1）他什么都不喜欢，甚至包括音乐。

（2）小李从来没来过我家。

（3）教室里根本就没有人。

（4）他来是来了，可是没坐下就走了。

（5）这些字我根本不认识，怎么读呢？

（6）我不知道他的电话号码，怎么给他打电话呢?

（7）我这个人从来不掉泪，这次竟难过得掉了泪。

（8）他忙得忘记了自己吃没吃饭。

二　下列句子哪些可以变换成"把"字句或"被"字句，可以变换的画（√），不可以变换的画（×）；将可以变换的句子变换过来：

（1）他抬起头来，眼里充满了自信。（　）

（2）我走完这一圈，就整整十圈了。（　）

（3）他坐在沙发上抽烟。（　）

（4）走的时候，我看见小王关上了窗户。（　）

（5）这篇作文是他帮我修改的，改得好极了。（　）

（6）老师话音刚落，我就高高地举起了手。（　）

（7）我住在北京，弟弟去了美国，姐姐在日本定居了。（　）

（8）这件事他从来没有放在心上。（　）

（9）我看见小明摔碎了杯子。（　）

（10）大家选他为劳动模范。（　）

148

三　将下列词语，组织成完整的"把"字句、"被"字句：

　　(1) 雪　　压　　树枝

　　(2) 信　　寄

　　(3) 词典　　放　　哪儿

　　(4) 困难　　吓　　他们

　　(5) 老师　　批评　　他

　　(6) 钥匙　　找

　　(7) 美丽的油画　　吸引　　我们

　　(8) 她　　摆　　花瓶　　桌子上

四　带·的部分为强调部分，请用"连"字句表述：

　　(1) 他不知道"鲁迅"是谁。

　　(2) 老师参加了晚会。

　　(3) 我没去过杭州。

　　(4) 他没考虑过这件事。

　　(5) 他没写过一封信。

（6）他整个假期没在家里呆过一天。

（7）她顾不上打招呼，就跑下楼去了。

（8）他跟同学很少说话。

五　改正下列句子中不适当的地方：
（1）他停汽车在楼下。
（2）我给我的朋友写信自己一路上的感受。
（3）他们不但把一支歌唱了，还把舞也跳了。
（4）我很快就把这里的生活习惯了。
（5）通过在中国这几个月的生活，我已经把这一点感觉
　　　到了。
（6）他还这些书给老师。
（7）我们把这个问题研究吧。
（8）售票小姐还没来，他把票取不了。
（9）我感动了长城的雄伟。
（10）一个孩子被妈妈打。
（11）这个房间已经被收拾。
（12）孩子被狗吓了。
（13）这种地毯被卖得很快。
（14）都大学生了，连信不会写。
（15）他亲兄弟出卖了，普通朋友又算什么。
（16）她时间抓得很紧，连休息一天也不休息。

150

第七单元

动态与助词

> 汉语动态的表达方式比较丰富，既可以在动词前用副词、动词后附着助词，也可以在句末加助词。

第十八课　　动作的进行、持续与将行

一　动作的进行、持续、继续

1　动作的进行

主要用副词"正""在""正在"表示，也可以在动词后附着表示持续的助词"着"或句后附着表示进行的助词"呢"，"着""呢"也可以同时出现。　例如：

（1）他在写信，我在读小说。

（2）她正在听着音乐。

（3）快看！快看！——我看呢。（眼睛在看电视）

（4）（那个玩具）小明正玩着呢。

表示正在进行的动作时，不能再用"了"。例如：

（5）＊大家正在阅览室里读报了。

　　　大家正在阅览室里读报呢。

（6）＊他们正商量了怎样完成这个计划。

151

他们正商量着怎样完成这个计划。

比较"正""在""正在":

▲ 意义上:

正 ：侧重于动作进行的时间；

在 ：侧重于动作进行的状态；

正在：既指动作进行的时间又指其状态。

▲ 结构上:

正：一般不接单个动词（尤其单音），常常构成：

正＋动＋着……/呢/着呢　例如：

正看呢　　正吃着　　正写着呢　　正担心着呢

＊正看　　＊正吃　　＊正写

或者动词后带有趋向动词等：

（7）她正向我走来。

＊她正向我走。

（8）我回头看时，那孩子正朝他妈妈扑去。

＊我回头看时，那孩子正朝他妈妈扑。

"在""正在"不受这种限制。

（9）这个计划我们正在研究。

（10）整个晚上她都在跳。

在：还可以表示动作反复进行或状态长期持续的意思，所以前边可以加"又""一直""总"等副词，或持续的时段。"正"和"正在"不能。例如：

（11）你是不是又在考虑那件事？

＊你是不是又正/正在考虑那件事？

（12）三天来他一直在等你，快去见见他吧。

＊他一直正/正在等你

（13）整整一个下午，她都在看电视。

＊整整一个下午，她都正/正在看电视。

2 动作的持续

主要用动词后附着助词"着"的方式，表示动作或状态的持续。根据持续进程的强与弱，可以分为动态、静态两种。例如：

（1）姐妹俩在船上愉快地唱着歌。（动态）

（2）他们分析着、研究着，一直到晚上十点多。（动态）

（3）孩子们都戴着红领巾，一个个生气勃勃的。（静态）

（4）椅子上坐着一位看报的老爷爷。（静态）

（5）你看，教室里的灯还亮着。（静态）

"进行"和"持续"的意义是不同的，"正在"等表示动作的进行；"着"则表示动作发生后，一直持续的一种状态。因此，"着"主要用于描写，下面的句子不能用"着"：

（6）小李，你在干什么？——＊我写着信。

                      ——我在写信。

（7）我一边等着小王，一边想着心事。

不能问：　你等着谁？你想着什么？

只能问：　你在等谁？你在想什么？

用"动＋正／在／正在／着"时，说话人关心的是动作的进行与持续，而不关心什么时候结束及怎么样，所以要注意：

A　后边不能加表示具体时间长度的词语。

（8）＊他正在认真地学着一上午。

（9）＊于静一直爱着他好几年。

B　后边不能加表示动量的词语。

（10）＊他正看我一下。（＊他看着我一下）

C　后边不能加表示动作结果的词语。

（11）＊她一边打开着书本，一边拿起着笔。

（12）＊他正记住着生词。（＊他记住着生词）

不是所有的动词都有进行态和持续态，非持续性动词一般不能构成进行态和持续态。例如：

（13）＊他正在到学校。

（14）＊我们同意着这个计划。

常见的非持续性动词有：

来　　去　　到　　离开　成立　毕业　停止

出发　牺牲　死　　胜　　败　　看见　听见

碰见　遇到　认为　记得　忘记　知道　懂

3　动作的开始与继续

主要用在动词后加上"起来""下去"等趋向动词的方式：

△　动＋起来——动作开始并在继续

△　动＋下去——动作继续做下去　例如：

（1）她们开心地大笑起来。

（2）同学们！我们唱起来、跳起来吧！

（3）这个论题很有价值，希望你能研究下去。

（4）好，好！唱得不错！来，唱下去！

动词后接有宾语的语句中，宾语一般插在"起来"中间：

吃起饭来　　　　　　＊吃饭起来

学起汉语来　　　　　＊学汉语起来

二　动作的将行

主要借助于副词来表示。

表示不久以后发生的动作：　将要、将、要；

表示短时内要发生的动作：　快、快要、就要、即将　例如：

（1）不努力学习，则将一事无成。

（2）未来将要靠我们去创造。

（3）火车就要进站了。

（4）人民代表大会即将在北京举行。

否定句中，不能用"将要""快要"等副词。例如：

（5）上海就要到了吧？　——没呢，还早着呢。

154

———＊没就要到了。

(6) 要毕业了吧？——哪里，还有两年呢。

———＊没要毕业。

用"就要""快要""要"时，句末一般要加"了"。
"即将"书面语色彩较浓，句末常常不加"了"。例如：

(7) 天就要黑了，抓紧时间干吧。（＊天就要黑）

(8) 快考试了，大家紧张地复习着。（＊快考试）

(9) 她要哭了，你去劝劝她吧。（＊她要哭）

练习十八

一 判断选择：

1　A 正　　B 在　　C 正在

(1) 我总（　　）盼着你来，你终于来了。

(2) 他（　　）听广播，别去打搅他。

(3) 我（　　）忙着，您稍等一下。

(4) 他们俩（　　）在屋里谈话。

(5) 一轮红日（　　）从地平线上升起。

(6) 整整一个暑假他都（　　）忙着写论文。

2　判断下列句中"在"的意思：

A 副词：正在　B 动词：存在　C 介词：引出处所

(1) 他们正在阅览室里看书。（　　）

(2) 我在等着你们呢。（　　）

(3) 他正好在家，快进去吧！（　　）

(4) 我们公司在发展、在壮大。（　　）

(5) 孩子们正在操场上踢足球呢。（　　）

(6) 正好，你们都在这儿。（　　）

二　选词填空：

　　　正　　　要　　　着　　　呢　　　将　　　在
　　　正在　　　就要　　　起来　　　下去　　　即将

(1) 孩子们的愿望（　　）实现了。

(2) 你看，他们（　　）打网球，打得多好啊！

(3) 别进去，老师（　　）批评李明（　　）。

(4) 汽车在公路上飞快地行驶（　　）。

(5) 三个孩子坐在灯下看（　　）书（　　）。

(6) 这样学（　　），三年后一定能学得相当好。

(7) 他们（　　）结婚了，我得送给他们一件精美的礼物。

(8) 估计过不多久，他（　　）成为一名新闻人物。

(9) 理想（　　）实现，心里有说不出的激动。

(10) 我（　　）想这封信该怎样写。

(11) 半年来，她一直都（　　）卧床休息。

(12) 最近他（　　）忙（　　）处理那几件事情。

三　根据句子内容，用（　）中的词改写句子：

(1) 孩子们一边唱歌，一边挥舞手中的彩绸。

　　（着）（着）

(2) 虽然试验遇到困难，可是他不想停止。

　　（下去）

(3) 孩子们玩得十分开心。

　　（正）（着）（呢）

(4) 她很伤心，眼泪从眼里涌出来。

　　（起来）

(5) 这个学期只剩下几天了。

　　（快）

(6) 这项工程再有三、四天就能完工。

156

（即将）

(7) 只有继续坚持，才能取得胜利。

（下去）

(8) 他们争论得很激烈。

（正）（着）

(9) 他们走出剧场时，天气不好，下雨。

（正在）

(10) 他去美国留学是半年以后的事。

（将要）

(11)（我告诉他）外面下雨，不要出去。

（着）（呢）

(12)（我想让小李陪我打网球，小李告诉我）她现在写作业，
过一会儿再去。

（呢）

四　改正下列句子中不适当的地方：

(1) 这件珍贵的纪念品，我一直随身保存。

(2) 我进来的时候，他正打电话了。

(3) 他们正在去参观呢，咱们也去吧。

(4) 早上六点来钟，我正睡，一阵电话铃声把我惊醒。

(5) 现在他正在去上海的火车上了。

(6) 她握我的手，亲切地看我。

(7) A 喂！想什么呢？

B 我想着这句话怎么说才对。

(8) 可能他现在正离开着北京，快到东京。

(9) 还不到十点，怎么就睡觉起来？

(10) 歌声一落，观众就鼓起来掌。

(11) A 研究生考试要开始吧？

157

没要。还有一个来月呢。

（12）这部电影就要结束，可我多么希望继续演起来呀。

（13）工程既然已经开始，困难再大，也要进行，不能半途而废。

（14）他们谈、笑、唱，一直到很晚。

（15）这几天，他一直正给你打好几次电话。

（16）妈妈拉住着她的手，舍不得离开着她。

第十九课　动作的完成、实现与经历

一　动作的完成与实现

汉语里动作的完成与实现，主要借助于助词"了"。

从"了"表示"完成"和"变化"与成句的意义与位置上，可以把它看成两个。

"了₁"——表示动作完成；用于动词后

"了₂"——表示事态的变化、确定的语气；用于句后

（一）"了₁"

"了₁"表示动作行为的完成，主要用于动词后。　例如：

（1）他出去叫了一辆车来。

（2）上午我就把那封信发走了。

（3）他放下了小说，又打开了录音机。

动词后如果有结果或趋向补语，"了"放到它们的后面（见（2）（3））。

要注意的是："了"并非只用于过去时，它主要表示动作的完成、实现，即使在将来某一时间里完成的动作，也可以用"了"。例如：

（4）明天下了课，我去找你。

"了"的用与不用，情况很复杂。下面介绍一下，在一般情况下，必须用"了"和可以省掉"了"的几种主要的情况。

▲　必须用"了"

1　在某一时刻动作完成、实现（句内有具体时间）

（5）那天，我们既参观了工厂、学校，又参观了幼儿园。

（6）听说就在那天夜里，伺机报复的象群血洗了那个村子。

2　某动作完成后（加"了"），又出现新的动作或情况

（7）他先检查了一下设备情况，然后沉着地操作起来。

（8）看了她的信，我伤心得流下泪来。

3　在某种条件、方式、原因下，取得某种结果

（9）在他的指挥下，交通危机很快排除了。

（10）经过研究，我们同意了你的方案。

▲　可以省掉"了"

1　连续动作时（尤其中间没有语气停顿时），为了表现动作的连续和紧凑

（11）他披上衣服拉开门，轻松地走了出去。

（12）老李赶忙迎上去，握住他的手说："谢谢你，谢谢你!"

2　动词后有结果、趋向等补语，而且强调补语

（13）看着这张照片，我的思绪又回到二十年前的今天。

（14）她擦干眼泪，重新整理起他的遗物来。

3　说话人强调句中某状语

（15）上次他照顾我，这次我照顾他，我们俩互相照顾。

4　表示经常性活动时，动词后不用"了"。

（16）＊他身体不好，常常生病了。（常常生病）

（17）＊这一个星期，她每天下午都去商店买了东西。

"了₁"的否定式：

动词前用"没"，动词后不再要"了"。例如：

（18）上个月，我去了一趟北京。

　　　　上个月，我没去北京。

　　　　＊上个月，我没去了北京。

（19）这届美术展览很好，你看了吗？——没看。

　　　　　　　　　　　　　　　——＊没看了。

（二）　"了₂"

160

▲表示情况、状态的变化、成句和表达语气，一般用于句末。
例如：

    （1）他不再是我的朋友了。（所属变了）

    （2）下雨了，回屋里去吧。（情况变了）

    （3）苹果已经红了，可以吃了。（性质、状态变了）

    （4）他三年没回家了。（持续时间的情况）

    （5）小红今年十六岁了。（到达某一数量）

    （6）我去图书馆看书了。（陈述、说明语气）

    （7）这年头不是从前了。（确定语气）

▲"了$_2$"的否定式：

否定已出现的新情况，用"没"或"没……呢"。句末不再用"了"。例如：

    （8）你参加上次的参观活动了吗？——没参加。

    （9）到北京了吧？——还没到呢。

否定将出现的新情况，或意愿、所属、性质等的变化，用"不……了"。

    （10）身体有点儿不舒服，不想去看电影了。

    （11）水不热了，可以喝了。

（三）"了$_1$"、"了$_2$"

句子中，有时动词后用了"了"，句末又用了"了"，这种句子既表示完成，又表示变化。常常表示：

▲ 说明动作到现在为止完成的情况。

    （1）我已经写了回信了。（常常用"已经"这个副词）

    （2）我还忘了告诉他了。

▲ 说明到现在为止，已持续的时间或已达到的数量。结构形式常常是：

    动词＋了$_1$＋数量词（＋名词）＋了$_2$

    （3）我在这儿住了三年了。

你在这儿住了多长时间了？——三年了。

(4) 他买了十几套邮票了。

他买了多少套邮票了？——十几套了。

(5) 为了买到这本书，他已经去了三次书店了。

二 动作的经历

表示过去曾经有过某种经历，主要用时态助词"过"。例如：

(1) 昨天，我找过你两次。

(2) 这种梦，我也曾经做过。

动词后有宾语时，"过"一般放在动词后，不放宾语后。

(3) 我没看过这部影片。

＊我没看这部影片过。

"过"也可以用在形容词后，一般含有相比较的意思。例如：

(4) 这屋子从来也没这么干净过。

(5) 她的病好过一段时间，后来又加重了。

"过"的否定式用"没（有）...过"。如果用"曾"的话，可以用"未曾""不曾"，带有书面语色彩。例如：

(6) 我有二十年没回过故乡了。

(7) 我没说过这种话。

(8) 这是历史上未曾有过的奇迹。

三 其它

（一）……来着

"来着"表示不久前发生过的事情。只用于句末。

例如：

(1) 刚才小李来找你借书来着。

(2) 他还烧（发烧）吗？——一个小时前还烧来着。

"来着"还可以用来询问一时想不起来的事情。例如：

162

（3）这个人我见过，他叫什么来着？

（4）你的电话号码是多少来着？

（二）　动＋的

"动＋的"用以强调事情发生在过去时的时间、处所、人物、方式、原因等，句子所表达的主要不是叙述，而是说明。常和"是"结合起来用。

否定时用"没"，不再用"的"；或者用"不是"。例如：

（1）昨天（是）你找的他吧？——我没找他。

　　　　　　　　　　　　　　——＊我没找的他。

（2）我（是）坐飞机去的上海。

　　我不是坐飞机去的，是坐火车去的。

（3）他（是）在日本学的日语。

（4）小王（是）前天离开学校的。

问过去动作的句子的状语时，不能用"了"，要用"的"。

（5）你哪天去的北京？——前天去的。

　　＊你哪天去了北京？——＊前天去了。

（6）这画怎么画的？

　　＊这画怎么画了？

练习十九

一　下列句中哪条＿＿上应该加"了"：

（1）我什么也顾不得＿＿，拖着拖鞋＿＿，连雨具也没有拿＿＿，奔下＿＿楼梯＿＿，朝花园跑去。

（2）近几年来，这里的一切都变＿＿，山变＿＿，水变＿＿，村庄变＿＿，人也变＿＿。

（3）听＿＿爷爷的话＿＿，小明非常激动＿＿。

（4）贝多芬飞快地奔回＿＿＿＿房间＿＿＿＿，花 ＿＿＿＿一夜

163

工夫____，把刚才弹____的曲子记录____下来____。

(5) 我们在朋友家里吃____晚饭____，外面已经不像刚才那么热____；太阳落下____山坡，____只留下____一片红霞在天边____。

(6) 那年冬天，我得____一场大病____，在阿姨的精心照料下，终于恢复____健康____。阿姨对我这样好____，我简直不知怎样感谢____她才好____。

二 选词填空：

　　　　了　　过　　着　　的　　来着

(1) 我明白（　　）：路要靠自己去走。

(2) 你刚才问什么（　　）？

(3) 她是因为有病才没来（　　）。

(4) 这个小孩小时候胖（　　），后来瘦（　　）。

(5) 王老师书房里的灯还亮（　　）。

(6) 为了这本书，我已经去（　　）三次书店（　　）。

(7) 那次课上，老师给我们讲（　　）集邮的方法。

(8) A 我上午去找（　　）你，你没在。

　　 B 我去邮电局寄信（　　）。

(9) A 你的菜做的真好吃！跟谁学（　　）？

　　 B 跟妈妈学（　　）。

三 根据句子内容，在____上填上适当的表示时态意义的副词、助词、趋向动词等：

(1) 那只长____黑白绒毛、竖____两只耳朵的大熊猫，____贪婪地吃____鲜嫩的竹子____。

(2) 她仿佛也看到____，看到____她从来没有看到____的景象：月光照耀下的波涛滚滚的大海。

(3) "我找不到家____。"孩子说完又哭_____。"快想办法帮帮他吧，这样哭____，会哭坏身子的。"

(4) 两年前我来____这里，一个人来____。

(5) 我忘____，刚才你说什么____？

(6) A 这台电视在哪儿买____？

    B 日本。

    A 你什么时候去____日本？我怎么不知道？

    B 今年春天。为公司一项业务去____。

四 变换表达方式：

（一）把下列叙述句改成由"（是）……的"构成的说明句（带"·"的部分是要求说明的部分）：

(1) 她昨天晚上八点才回到宿舍。

(2) 上午，小王给妈妈打了一个电话。

(3) 他坐船去大连旅游了。

(4) 他在上海遇见了一位老朋友。

(5) 男朋友给我寄来了一份生日礼物。

（二）把下列由"（是）……的"构成的说明句改成一般的叙述句：

(6) 她是流着泪看完这封信的。

(7) 那个报告是下午五点开始的。

165

（8）　是家乡的亲人们帮助我上的大学。

（9）　我们昨天的晚会是在教室里举行的。

（10）　他是在医院里度过这个假期的。

五　用上适当的表示时态意义的助词，造出完整的句子：
（1）开始　跑步

（2）项目　以前　得奖

（3）工艺品　为朋友　买

（4）昨天　收到　一封　来信

（5）这些年来　没　忘　家乡

（6）连续　下　雨　一个星期

（7）一年来　病　没　好转

（8）看　小说　　受　教育

（9）教室里的灯　亮

六　改正下列句子中不适当的地方：
（1）来了中国以后，什么都不习惯了。
（2）晚上我吃饭就去你那儿。

（3）你什么时候学汉语了？

（4）我还没考虑了这个问题。

（5）他们一起从香港坐了飞机回来了。

（6）我每天下午去商店了。

（7）昨天晚上他没把电视看完了就睡。

（8）现在我能用汉语说话。

（9）他睡整整一天。

（10）我在日本常常看到了中国古代艺术品。

（11）前天，我看一部特别有意思的电影。

（12）我真喜欢跟朋友们一起去游览了名山大川。

（13）虽然我没跟他见面，可是他的名字我早就听说。

（14）来中国以后，我从来没生病过。

（15）是小王帮我修自行车了。

（16）她静静地坐在窗前听了音乐。

综合练习六

一 判断选择：

（一）从 A、B、C 中选择合适的词填空：

1　　A 从　　B 自　　C 由

（1）这些邮票真好，（　　）哪儿弄来的？

（2）这支探险队（　　）五个队员组成。

（3）来（　　）各地的救援物资被迅速运往灾区。

2　　A 对　　B 跟　　C 给

（1）没什么事做的话，就（　　）我学点儿手艺吧。

（2）（　　）任何事情都要做一分为二的分析。

（3）（　　）他出出主意，帮帮他。

3　　A 对　　B 往　　C 朝

（1）王山（　　）我点点头，暗示我让我同意大家的意见。

（2）她（　　）我的好处，我将永记心间。

（3）一直（　　）前走，过了桥，（　　）左一拐就到了。

4　　A　对于　　　B　关于　　　C　至于

（1）（　　）计划生育问题，正是目前亟待解决的问题。

（2）早晚散步（　　）调养身体很有好处。

（3）这个问题必须马上解决，（　　）怎样解决好，你们商量商量吧。

5　　A　在…上　　　B　在…中　　　C　在…下

（1）（　　）老师的关照（　　），他生活得很愉快。

（2）他（　　）这项课题研究（　　）发挥了自己的优势。

（3）别看他学习不太好，可（　　）小制作（　　）很有能力。

6　　A　把　　　B　被　　　C　连

（1）小树（　　）风刮倒了。

（2）风有多大啊！（　　）这么粗的树都刮倒了。

（3）风（　　）树刮倒了。

7　　A　了　　　B　着　　　C　过

（1）十年前，我也曾经有（　　）这种经历。

（2）听我说完这番话，她激动得流下（　　）眼泪。

（3）几年来，他一直在努力地学习（　　）。

（二）　判断正误：

1 A 这样的参观给我们学习中文很有帮助。（　　）

　　B 这样的参观对我们学习中文很有帮助。（　　）

2 A 我要做得跟他一样好。（　　）

　　B 我要做得比他一样好。（　　）

3 A 他很感兴趣了解中国的民俗。（　）

  B 他对了解中国的民俗很感兴趣。（　）

4 A 我们要朝先进学习。（　）

  B 我们要向先进学习。（　）

5 A 每到春天我们总要去郊游一次了。（　）

  B 每到春天我们总要去郊游一次。（　）

6 A 他现在正在作毕业论文，所以很忙。（　）

  B 他现在正在作毕业论文，所以很忙了。（　）

7 A 他刚刚到家，坐船回来的。（　）

  B 他刚刚到家，坐船回来了。（　）

8 A 这么大的地震在我们国家还从来没有。（　）

  B 这么大的地震在我们国家还从来没有过。（　）

9 A 她热情助人的精神叫我非常感动了。（　）

  B 她热情助人的精神叫我非常感动。　（　）

10 A 这是我给他打的第三次电话了。（　）

  B 我正在给他打三次电话。（　）

二　选词填空（限用一次）：

（一）　把　自　向　被　连　对　对于　为

（1）这位黑姑娘来（　　）非洲。

（2）他（　　）兴奋了的人们抬了起来，抛（　　）空中。

（3）努力学习，（　　）人类的进步作贡献。

（4）我想（　　）计划修改一下。

（5）学校（　　）我们照顾得很周到，请妈妈放心。

（6）（　　）大家的批评，你应该持有正确的态度。

（7）（　　）这么可爱的小动物也不肯放过，太残忍了。

（二）　了　着　过　起来　来着　的　将　下去

（1）我上午去商店买东西（　　）。

（2）众人围（　　）火堆，唱（　　）（　　）。

（3）他们（　　）于下月一号举行婚礼。

（4）他太激动了，说不（　　）了。

（5）今天的学术报告是李老师做（　　）。

（6）我在日本的时候，就吃（　　）这种菜。

三　用提供的词语，各造一个完整的句子：

（1）　把　　花瓶　　碎

（2）　自行车　　被　　借

（3）　阅览室　　连　　人　　没有

（4）　把　　精力　　放　　工作

（5）　被　　批评

（6）　连　　长城　　没　　去

四　改正下列句子中不适当的地方：

（1）你应该对老师道歉。

（2）读这篇报告文学，我的心久久不能平静了。

（3）这里一片片的樱花盛开，美丽极了。

（4）他正在写起作业来，不要打搅他。

（5）来中国以后，我常常想过家。

（6）我们住的楼里还有餐厅。

（7）这件事我自己很难作主，要商量我的朋友。

（8）在朋友们耐心地劝说上，我才改变了主意。

170

（9）我好长时间没写信你了。

（10）他送了自己省下来的钱孤儿院。

（11）刮倒了的小树都被孩子们扶。

（12）在北京住了那么长时间，他连长城没去。

（13）在战争，他的儿子牺牲着。

（14）我父亲、母亲都对我和男朋友的恋爱反对。

（15）我觉得汉语在发音方面又难又麻烦了。

> 汉语的修饰语，一种出现在名词性成分前，在句中修饰主语和宾语，叫作定语；一种出现在动词、形容词前，在句中是谓语部分中的修饰成分，叫作状语。

第二十课　定　语

定语是用来修饰名词性成分的，在句中修饰主语和宾语。例如：

（1）美丽的校园里充满了春天的气息。

（2）才十四岁的他就有这样的志向。

（3）这种红可不是正常的红。

（4）他的死比泰山还重。

一　定语的限制与描写

定语的主要作用是限制与描写。

▲　限制性定语：从数量、时间、处所、归属、范围等方面来说明中心语。主要由数量词、时间处所词、名词、代词等充当。

例如：

（1）五班的同学每人得到一份纪念品。（数量）

（2）今年的产量比去年高多了。（时间）

（3）教室里的同学都到外面去。（处所）

（4）我们一定会满足旅客们的要求。（归属）

（5）全村的老百姓都来送行了。（范围）

▲ 描写性定语：从性质、状态上来描写人和事物，主要由名词、形容词来充当。例如：

（6）这只木箱子里装的全是书。（性质）

（7）重要文件必须及时传达，不能耽搁。（性质）

（8）突然，一位漂亮的姑娘出现在我面前。（状态）

（9）绿油油的麦浪翻滚着。（状态）

性质和状态常常难以划得很清楚，一般来说，侧重描写质料、特点的属于性质；侧重描写样子的属于状态。

二 定语与"的"

定语后常常用"的"，可以说"的"是定语形式上的标志。但不是所有的定语后都要加"的"。大致的规律如下：

（一）数量定语：

表示限定关系，不用"的"；表示描写关系，用"的"。

（1）他一晚上看完了一本二百多页的小说。

　　　　　　　　（限定）（描写）

"一本"：主要区别于其它数量；

"二百多页的"：在于描写这是一本多厚的小说。

（2）屋里坐了二十几个人。

　　　　　　（限定）

（3）十点了，他还没来，把一屋子的人都等急了。

　　　　　（描写）

"一＋名词"的"一"有"满"的意思的时候，具有描写作用。

（二）代词定语

173

▲指示代词、疑问代词及指量词组等，一般不加"的"。

（4）这孩子多懂事啊！

（5）那几只风筝是什么图案的？

（6）你喜欢哪个样子？

▲"谁""这样""那样""怎样"作定语，加"的"。

（7）谁的钱包掉在这儿了？

（8）他是一个怎样的人？

▲人称代词表示领属关系，一般要加"的"。

（9）她的病快要好了。

▲中心语表示的是人的关系、集体、机构、方位词等，不加"的"。

（10）我爸爸希望我学文学。

（11）我们厂今年效益很好。

（12）他前边是小李。

强调领属关系时，要用"的"。

（13）王力是他的同学（不是我的）。

▲表示领属关系的名词、代词后面如果有其它带"的"的定语时，一般不再用"的"。

（14）这是我八岁时的照片。

＊这是我的八岁时的照片。

（三）名词定语

表示领属关系时，用"的"；具有描写作用时，不用"的"。

（15）关心孩子各方面的成长是学校的责任。（领属）

（16）姐姐的歌声很美。（领属）

（17）这是一个塑料杯子。（质料——描写）

（18）警察叔叔帮我找到了妈妈。（职业——描写）

（19）不要耍孩子脾气。（有比喻意义——描写）

（四）形容词定语

174

单音节的，一般不加"的"；多音节的，一般要加"的"。

（20）我要的是那本厚词典。

（21）他是一位难得的好人。

（22）美丽的西湖，真令人陶醉啊！

起区别作用时，单音节的也要加"的"。

（23）好的蚕茧放这边，不好的扔到下面筐里。

（五）动词及动词性词组以及主谓词组、介词词组、固定词组等都要加"的"。

（24）这是卖的票，谁都可以买。

（25）骑自行车的人陆陆续续地涌进这浩大的队伍中。

（26）长城已成为游览者最喜爱的观光地之一。

（27）这间屋子有两个朝南的窗户。

（28）不见经传的中国队竟一举夺魁。

以上只是一般规律，在具体的语言环境中，有时有灵活性。

三　多项定语的顺序

（一）并列关系定语的顺序

并列关系定语的顺序一般来说应该是自由的。例如：

（1）王刚、刘新（刘新、王刚）的技术最过硬。

但是，有时受到语用、习惯、认识规律等因素的影响，而使它们的顺序固定下来。例如：

（2）要摆正国家、集体与个人的关系。（从大到小）

（3）父亲、母亲的鼓励一直激励着我前进。（从男到女）

（4）这就是我军发展壮大的历史。（按照事物的发展规律）

（二）递加关系定语的顺序

递加关系定语是指几个定语在说明中心语时，具有层次关系。例如：

175

（5）这是他一天的活动安排。

（6）他已经不是过去那个什么都不懂的乡下孩子了。

递加关系定语的排列有一定的规律，大体如下：
▲　限定性定语在前，描写性定语在后。例如：
　　（7）她买了　一件　　很别致的　礼品。
　　　　　　　　限定性　描写性
　　（8）这件礼物是　一位在北京留学的　好　朋友送给我
　　　　　的。
　　　　　　　　　　　限定性　　　　　描写性
多项限定性定语和多项描写性定语的一般排列顺序是：
1　表示领有的名词、代词或词组；
2　表示时间、处所的词；
3　指示代词或数量词；
4　动词或各类谓词性词组、介词词组；
5　形容词性词语；
6　不用"的"的形容词和表性质的名词。
数量定语、形容词定语有时位置较活，前边、后边都可能出
现。出现位置不同，意义上会有一定差别。例如：
　　（9）他是我校一位最有影响的教授。
　　　　　　　①　③　　④
　　（10）她穿了一双薄而透的尼龙丝袜子。
　　　　　　　③　　⑤　　　⑥
　　（11）幼儿园时老师讲的那些美丽动人的故事我还记得。
　　　　②　　　④　　③　　⑤

（12）他是我中学时代一位最要好的朋友。
　　　　①　　②　　③　⑤
（13）我看到了那位站在门口流泪的小姑娘。（描写性）
　　　③　　④　　　　　⑥
　　我看到了站在门口流泪的那位小姑娘。（限定性）
　　　④　　　　　③　⑥

练习二十

一　看看哪些＿＿＿上该加"的"，该加的请加上：
　（1）草原上又响起他们＿＿＿愉快＿＿＿歌声。
　（2）她选择了一种＿＿＿最实用＿＿＿方法。
　（3）我永远也忘不了您＿＿＿对我们＿＿＿恩情。
　（4）这个＿＿＿消息很快就传到他＿＿＿家乡。
　（5）我请来了一位＿＿＿美国＿＿＿专家。
　（6）昨天晚上＿＿＿看＿＿＿那部＿＿＿电影很有意思。
　（7）他＿＿＿这个＿＿＿发言代表了一个＿＿＿老＿＿＿科学工作者
　　　　＿＿＿心声。
　（8）他走完了人生＿＿＿道路上＿＿＿最后＿＿＿一步。
　（9）狂怒＿＿＿大海掀起了惊天动地＿＿＿巨浪。
　（10）这是他＿＿＿八岁那年＿＿＿跟父亲学做＿＿＿小＿＿＿泥
　　　　＿＿＿猴子。

二　判断括号中的词语应该在 ABC 哪个位置上（画"○"
　　表示）：
　（1）他 A 把 B 票 C 送给李明了。（自己的）
　（2）他是 A 我来中国后 B 认识的 C 中国朋友。（第一位）
　（3）她说了 A 一些 B 孩子 C 话。（傻里傻气的）

（4）宁静的空气反映出 A 紧张 B 期待 C 的心情。（人们）

（5）结婚仪式并不像 A 他 B 那样 C 简单。（所想象的）

（6）我记起 A 跟伙伴们 B 戏水 C 的情景。（孩子时）

（7）她是 A 一个 B 久经苦难的 C。（老人）

（8）这座高大的铜像真是 A 劳动人民 B 智慧的 C 结晶。（古代）

三　以下列词语为中心语，按要求在____上加上定语，注意"的"的使用：

（一）给下列词语加上限定性定语：

＿＿＿＿＿＿表演	＿＿＿＿＿＿主张
＿＿＿＿＿＿往事	＿＿＿＿＿＿小船
＿＿＿＿＿＿恩情	＿＿＿＿＿＿决定
＿＿＿＿＿＿祖国	＿＿＿＿＿＿黄河
＿＿＿＿＿＿报告	＿＿＿＿＿＿老师

（二）给下列词语加上描写性定语：

＿＿＿＿＿＿阳光	＿＿＿＿＿＿专家
＿＿＿＿＿＿生活	＿＿＿＿＿＿贡献
＿＿＿＿＿＿时刻	＿＿＿＿＿＿景象
＿＿＿＿＿＿同学	＿＿＿＿＿＿树
＿＿＿＿＿＿人们	＿＿＿＿＿＿天气

四　判断选择（画"〇"表示）：

（1）A 我把一路上我的感受写信告诉给我的朋友。

　　B 我把我一路上的感受写信告诉给我的朋友。

（2）A 到中国以后，我们看了中国许多电影。

　　B 到中国以后，我们看了许多中国电影。

C 到中国以后，我们看了许多中国的电影。

(3) A 省、市、县的各级干部都在开会。

B 省、市、县的各级的干部都在开会。

C 市、省、县的各级干部都在开会。

(4) A 我买了一本书和杂志。

B 我买了一本的书和杂志。

C 我买了一本书和一本杂志。

(5) A 他是我大学的同学。

B 他是我的大学的同学。

C 他是大学的我的同学。

(6) A 这样情、这样爱，能不令人感动吗?

B 这样的情、这样的爱，能不令人感动吗?

(7) A 冰川形成了无数个的小的水滴。

B 冰川形成了无数个小水滴。

(8) A 那时候我正在读关于天文学的一些书。

B 那时候我正在读一些关于天文学的书。

五　用括号中的词语，把句子扩写成含有多项定语的句子:

(1) 这是照片。(彩色　一张　从画报上剪下来)

改:

(2) 她是教师。(具有三十年教龄　老　一位)

改:

(3) 钢琴前坐着姑娘。(个　盲　十六、七岁)

改:

(4) 我还回过头去看榕树。(茂盛　留在后面　大　那)

改:

(5) 集邮丰富了生活，培养了兴趣和爱好。

(课余　我　;　我　对艺术)

179

改：

（6）孩子病了。（一个　她　男　不满一周岁）

改：

（7）中国是国。（具有悠久历史　古　文化　一个）

改：

（8）他是朋友。（最值得信赖　我　好）

改：

六　改正下列句子中不适当的地方：

（1）我学习的成绩不太好。

（2）我们每学期进行两次的考试。

（3）我要为祖国生产出更多优质的产品。

（4）跟你最好那个中国的学生来找过你。

（5）对大部分人来说，旅游是有趣一件事。

（6）那是个好机会加强两国人民的友谊。

（7）我遇到很多中国朋友以前在我们国家住过。

（8）我想问几个问题关于中国大学生的情况。

（9）这次到中国来是她的晚年的唯一而最大理想。

（10）我热爱这里的友好人们。

（11）他发扬了助人为乐精神。

（12）上海是中国第一的大城市。

（13）他就是我的唯一中国的朋友。

（14）各种各样美好的儿时回忆全部涌现出来。

（15）一想起那次的旅途中所做那些傻事就不由得笑起来。

第二十一课　状　语

状语是用来修饰动词、形容词的，在句中是谓语部分的修饰成分。例如：

  (1) 他始终不放弃自己的信念。

  (2) 她耐心地给我解释着。

  (3) 这里的老百姓特别热情、特别好客。

  (4) 每当我遇到困难的时候，他总是热情地帮助我。

一　状语的限制与描写

状语的主要作用是限制与描写。

  ▲　限制性状语：从时间、处所、对象、范围、目的、程度等方面对谓语中心语加以限制。例如：

  (1) 我们明天早上六点就走。（时间）

  (2) 他们在操场上踢足球。（处所）

  (3) 她对谁都那么热情。（对象）（范围）

  (4) 为了这项实验，他两天没睡觉了。（目的）

  (5) 这位老师傅工作非常认真。（程度）

  ▲　描写性状语即对动作或动作者的情态加以修饰描写。例如：

  (6) 大家把教室彻底打扫了一遍。

  (7) 小雨渐渐沥沥地下个不停。

  (8) 天色渐渐地暗了下来。

  (9) 她一遍一遍地嘱咐我千万别忘了打电话。

以上句中状语主要描写动作进行的方式、情况。

（10）李丽很无聊地放下手里的书。

（11）他怀疑地看了我一眼。

（12）孩子们目不转睛地盯着老师。

（13）我们幸福地沉浸在往事的回忆之中。

以上句中状语是描写动作者动作时的心情、态度、姿态、表情等。跟描写动作状语的最简单的区分办法是：这类状语可以单独跟主语构成意念上的主谓关系。例如：

李丽很无聊（主谓）　　　大家彻底（×主谓）

我们幸福（主谓）　　　她一遍一遍（×主谓）

二　状语的位置

状语一般出现在被修饰的中心语前。有两种位置：少数位于主语前，多数位于主语后。

▲只位于主语前的状语：

主要是由"关于""至于"构成的介词词组。例如：

（1）关于下半年的工作安排，我们下次会议研究。

（2）问题是提出来了，至于怎样解决它，我还没想好。

▲只位于主语后的状语

主要是大多数描写性状语和部分限制性状语。例如：

（3）她默默地擦干了脸上的泪水。（描写性）

（4）他狼吞虎咽地大吃起来。（描写性）

（5）毕业十几年了，他一直没有忘记老师和母校。

（副词——限制性）

（6）大家里边坐。

（没有介词的处所词语——限制性）

（7）你们把行李送到房间里去。

（"把""被""给"等构成的介词词组——限制性）

▲主语前或主语后都可以出现的状语

182

（8）（的确）他的确这样想过。

　　　　　　　（副词）

　　常用的副词还有：突然、忽然、起初、回头、一时、

　　　　　　　　　　原先、确实等。

　　（9）在那儿，他（在那儿）生活得很愉快。

　　　　　　　（介词词组）

　　这类状语主要是限制性的，多数情况下还是位于主语后的。但是，如果状语被强调或者修饰的成分不只一个，就要放在的主语前了。此外状语结构比较复杂的，也要放在主语前。例如：

　　（10）当我写完最后一个字的时候，时针已经指向凌晨四点了。

三　状语与"地"

　　状语后常常用"地"，可以说"地"是状语形式上的标志。但是不是所有的状语后都要用"地"。大体有以下规律：

　　（一）限制性状语后一般不用"地"。

　　（1）我马上就走。

　　　　　　　（时间）

　　（2）他在餐厅里陪客人吃饭。

　　　　　　　（处所）

　　（3）这孩子很有教养，对客人很有礼貌。

　　　　　（程度）　　　（对象）

　　（4）同学们都到齐了，只差小李一个人。

　　　　　　　　　　（范围）

　　（5）我的确不饿，你自己吃吧。

　　　　　　（语气）（否定）

　　（二）描写性状语后一般可以用"地"。

　1　描写动作者的状语一定要用"地"。例如：

（6）她大大方方地走上台去，很有礼貌地朝大家鞠了一躬。

（7）她总是那么满腔热忱地为顾客服务。

2 描写动作、变化的用不用"地"比较自由。强调描写作用时，用"地"；不强调时，不用"地"。例如：

（8）她又把信仔细（地）看了一遍。（形容词）

（9）我们着重（地）谈谈这个问题。（动词）

（10）她轻轻（地）答到："好的。"（形容词的重叠形式）

（11）她一遍遍（地）嘱咐我："千万别忘了。"

（数量词重叠式）

但是，下列情况需要注意：

▲单音节形容词后一般不用"地"。

（12）他只是傻笑着，一句话也不说。

（13）快说说吧，别让大伙着急了。

▲形容词词组、动词词组、名词及词组后一般要用"地"。

（14）从此，他更加刻苦地钻研起来。（形容词词组）

（15）他们有针对性地提出了几个问题。（动词词组）

（16）这些任务历史地落在了你们肩上。（名词）

四 多项状语的顺序

（一）并列关系状语的顺序

一般来讲比较自由，有时受逻辑关系或习惯的影响，也会出现较固定的排列顺序。例如：

（1）这样做对集体、对个人都有一定的好处。（从大到小）

（2）她认真负责地管理着这个资料室。（从态度到工作）

并列状语的每一项都跟中心语存在着修饰关系；如果用"地"一般只在最后一项状语后用，但是如果强调各项状语，也可以逐项用"地"。例如：

（3）她热情地、天真地、好奇地问这问那。

（二）递加关系状语的顺序

递加关系状语是指几个状语修饰限制中心语时，具有层次关系。例如：

（4）他终于又一次登上了冠军的宝座。

（5）她很流利地用汉语说出了这句话。

递加关系状语的排列比较灵活，但也有一定的规律，大体如下：

1　表示时间的状语；

2　表示语气、关联、频率、范围等的状语（同时出现两个以上副词时的大致排列顺序）；

3　表示处所的状语；

4　描写动作者的状语；

5　表示空间、方向、路线的状语；

6　表示目的、依据、对象等的状语；

7　描写动作的状语。　例如：

（6）我兴奋地从信箱里把信抽了出来。
　　　　　　　④　　　⑤　　　⑥

（7）他亲切地跟我慢慢地聊了起来。
　　　　　　④　　⑥　⑦

（8）整整一个下午，他都在操作台上紧张地操作着。
　　　　①　　　　　　②　　③　　　　⑦

但是，处所、方向、路线、范围等状语有时较灵活，根据需要，位置可以前后移动。描写动作的状语有时为突出它的描写作用，也可以放到前面。如：

（9）你给我们详细介绍一下。（你详细地给我们介绍一下）

⑥　　⑦　　　　　⑦　　⑥

在表示对象的词组中，"被""把"介词词组同时出现时，"被"在前，"把"在后。例如：

(10) 他让那伙歹徒把眼睛打伤了。
　　　　　　。。。。。。。。・・

练习二十一

一　括号中的状语应该放到句中哪条____上：

(1) _____他_____劳动了一天。（跟社员一起）

(2) _____一个念头_____出现在我的脑海里。（突然）

(3) 活动是要组织的，_____我们_____再商量。

（至于什么时间）

(4) 你看看，_____我都_____搞糊涂了。（被你）

(5) _____我们_____坐，好吗？（楼上）

(6) _____他_____很负责。（对工作）

(7) _____我_____越发思念家乡了。（随着时间的推移）

(8) _____她_____说："谢谢你！"（激动地）

(9) _____我_____不认识他，这次才认识的。（原先）

(10) _____我们_____再找时间研究。

（关于市场调查问题）

二　看看哪些____上该加"地"，该加的请加上：

(1) 他不紧不慢____一件件____处理着。

(2) 他非常自信____把零件____一件一件____拆了下来。

(3) 她跟朋友们____一起____愉快，____度过了这个假期。

(4) 我们明天下午两点____从学校____出发。

(5) 老师要亲自____跟他____谈谈。

（6）这些都是易碎物品，要轻____拿轻____放。

（7）祝大会顺利____进行！

（8）他一下午____在那儿____来回____走了好几趟了。

（9）一些人总是____形式主义____看问题。

（10）小明非常清楚____写下了自己的名字。

三　以下列词语为中心语，按要求在____上加上状语，注意"地"的使用（内容不要重复）：

（一）给下列词语加上限定性状语：

_____学习　　　_____商量

_____跑去　　　_____研究

_____劳动　　　_____结实

_____参加　　　_____满意

_____吃　　　　_____没睡觉

（二）给下列词语加上描写性状语：

_____回家了　　_____出发

_____讨论　　　_____飞翔

_____后退着　　_____唱了起来

_____解说着　　_____拉住他

_____刮着　　　_____为他倒水

四　用括号中的词语，把句子扩写成含有多项状语的句子（注意"地"的使用）：

（1）我住在乡下。（就　跟奶奶一起　从小）

　　改：

（2）他消失了。（已经　从门前　我睁开眼睛时）

　　改：

（3）他聊了起来。（非常亲切　慢慢　跟我）

187

改：

（4）雪白的浪花涌来。（朝岸边　一个连一个）

改：

（5）我们赶上他。（几次　又）

改：

（6）他一笑。（憨厚　对我们）

改：

（7）我坐在窗前。（常常　清晨　独自）

改：

（8）他们走过去。（从我身边　慢慢　不声不响）

改：

（9）我们打扫干净了。（终于　彻底　把院子里的草
三个小时以后）

改：

（10）我剪下来。（就　小心翼翼　从信封上　把邮票
每当亲友来信时）

改：

五　改正下列句子中不适当的地方：

（1）老师跟他在教室里正谈话呢。

（2）我这里剩下只一个苹果了。

（3）我们走进会场时，正在为他大家鼓掌。

（4）跟他一商量，他痛快就答应了。

（5）他向上一步一步在攀登。

（6）小红极不情愿为我们唱了起来。

（7）他朝前不顾一切地奔去。

（8）这些日子，我陪着她一直。

（9）他也明天要去泰山。

188

（10）每当这种情况遇到，我们彻底就谈一次话。

（11）书法时，紧地执住笔，慢地写。

（12）多地听，多地说，就一定地能学好汉语。

（13）来中国以后，我看到了怎么样中国人民发展自己的工业和农业。

（14）他一走进会场，大家都就站了起来。

（15）我们从早上八点到十二点每天上课。

（16）他发脾气常常一些小事。

综 合 练 习 七

一 看看哪条____上可以加上"的"或"地"：

（1）他是一位____著名____京剧____艺术家。

（2）几句话表达了他们____真诚____谢意。

（3）我今天又见到了上次____在火车上认识____那位____朋友。

（4）她常常____耐心____给我____解答问题。

（5）大家把教室____好好____打扫一下。

（6）他们昨天下午____在操场上____踢足球了。

二 在_____上加上适当的定语和状语，注意"的""地"的使用：

（1）_____朋友　　（2）_____研究

（3）_____人们　　（4）_____学

（5）_____商品　　（6）_____欢迎

（7）_____方式　　（8）_____满足

（9）_____我们_____有了_____房子。

（10）_____往事_____浮现在眼前。

（11）我_____懂得人世间_____有_____温暖。

(12) 我们_____度过_____黄昏。

三　括号中的状语，可以出现在句中哪条____上：

(1) ____汽车____行驶起来。（飞快地）

(2) _____有人_____提了意见。（关于周末的安排）

(3) ____你____说得很有道理。（确实）

(4) ____我____想____打个电话。（给他）

(5) ____我____无法相信这一事实。（根本）

(6) 大家上车后，_____请_____坐。（里边）

四　用括号中的词语，把句子扩写成含有多项定语或状语的句子（注意“的”“地”的使用）：

(1) 她是姑娘。（具有青春活力　个　美丽动人）

(2) 植物吃光。（各类　野生　岛上；被动物　几乎）

(3) 我联系。（跟他们　直接　关于这个问题）

(4) 我说过了。（已经　跟大家　把你的想法）

(5) 人终于出现了。（年青　有希望　一代）

(6) 他是教师。（知识很丰富　一位　老　很有教学经验）

(7) 他写了几个字。（草草　在那张画上　又）

(8) 孩子们冲去。（向山头　都　兴奋　）

（9）这里也流传下来故事。（美好动人　爱情　一些
　　　　　　带有血腥味）

（10）他们举行了晚会。（在这个广场上　去年　还；
　　　　　　交谊舞　大规模）

五　改正下列句子中不适当的地方：

（1）那几件的礼品价钱还可以。

（2）他高的鼻梁、黑的头发，还有很有神的一双眼睛。

（3）我一定很认真做好那件事情。

（4）她有一岁半的一个女儿。

（5）我很高兴得到这样好机会。

（6）来中国的第一天就发生了让我深受感动的一件事情。

（7）她都每天生活得快快乐乐的。

（8）春节是对中国人来说最重要、最热闹节日。

（9）听说她有俩中学孩子。

（10）他常常过节的时候邀请我到他家作客。

（11）我们从早上八点到十一点每天上课。

（12）她对我家庭印象特别好。

（13）从这里明天下午一点我们出发。

（14）她快地朝门外高兴跑去。

<table>
<tr>
<td>

第九单元

补充语

</td>
<td>

补语是位于动词、形容词后，起补充说明作用的成分。它可以补充说明动作、变化的结果、趋向、数量、情状、可能、处所、对象等。

</td>
</tr>
</table>

第二十二课　结果补语、趋向补语

一　结果补语

结果补语表示动作、变化的结果，由动词、形容词充当。例如：

形：吃饱了　　喝足了　　睡好了　　玩腻了

动：救活了　　记住了　　打碎了　　学会了

对动词及其补语，可以从两个层次上进行理解：

吃饱了 →	我吃饭	救活了 →	救他了
	我饱了		他活了
听清楚了 →	我听了	书买到了 →	买书了
	内容清楚了		书得到了

结果补语的结构特点：

1　结果补语紧跟在动词、形容词后，动词和补语之间不能插

192

进别的成分。时态助词也只能放在补语后。例如：

照完了相（＊照相完了）　　打通电话了（＊打电话通了）

打碎了（＊打了碎）　　　　救活了（＊救了活）

2　有结果补语的句子常常用来表示动作的完成与实现，补语后常常用"了"，有时根据意义也可以接"过"，但是不能接"着"。

3　有结果补语的句子在时间上表现的是现在以前动作是否完成实现某结果，因此它的否定形式要用"没"。只有在假定某种情况时，才能用"不"。例如：

吃饱了→没吃饱　　　　　学会了→没学会

　　　＊不吃饱　　　　　　　　＊不学会

下午还要干好长时间呢，不吃饱可不行呀。

今天我非要学会它不可，不学会这一招，我就不走了。

4　结果补语的选择，要注意它跟动词意义上的搭配。例如：

有"得到""附上"的意义：

买/得/拾/捡＋着（zháo）　　看/听/得/找＋到

合/贴/缝/穿＋上

有"离开""分离"的意义：

卖/丢/扔/输＋掉　　　　　拆/脱/放/丢＋下

有"固定不变"的意义：

记/停/抓/拉＋住

＊得掉　　＊穿下　　＊拆着　　＊脱上

二　趋向补语

趋向补语表示动作的趋向，由趋向动词充当。例如：

走过来　　　跑进（教室）　　爬上去

送回（家）　　爱上（他）　　想起来

（一）趋向动词

趋向动词是表示动作趋向(方向性)的一种动词。分为单纯和合成两类。单纯的由一个趋向动词表示,合成的由两个趋向动词合成。见下表:

	进	出	上	下	回	过	起
来	进来	出来	上来	下来	回来	过来	起来
去	进去	出去	上去	下去	回去	过去	

▲ 趋向动词可以直接作谓语。例如:

(1) 我家来了一位客人。

(2) 他们都进去了,你快进去吧。

▲ 趋向动词更常见的是用在动词、形容词后面做趋向补语。

(二) 趋向动词作补语时表示的意义

1 基本意义:

▲ 来 去

通过动作使人或事物向说话人方向移动,是"来",离说话人而去,是"去"。例如:

(3) 我借来一本小说,挺有意思的。(我←小说)

(4) 他给朋友寄去一封信。(他→信)

(5) 狼向东郭先生扑来。

(叙述人在东郭先生的位置←狼)

(6) 一群大雁向远方飞去。(叙述人位置→远方)

▲ 上 下

通过动作使人、事物由低位到高位是"上",由高位到低位是"下"。例如:

(7) 房上有积雪,他爬上房顶扫雪。(由房下到房上)

(8) 他跳下汽车就跑。(由车上到车下)

194

▲ 进　出

通过动作使人由空间处所外到空间处所里为"进"；由空间处所里到空间处所外为"出"。例如：

（9）他怀着激动的心情走进故宫博物院。（外→内）

（10）她从小包里取出一副眼镜戴上。（内→外）

▲ 回

通过动作使人、事物到原处（家、住处、单位、原来位置）。例如：

（11）参观完后，用汽车把他们送回学校。

（12）这些东西用完后，都应该放回原处。

▲ 过

随着动作经过或通过某处。例如：

（13）他穿过马路，来到书店门前。（由马路通过）

（14）美丽的小鸟从她眼前、身边、头上飞过，这儿真是鸟的世界。（经过眼前、身边、头上）

▲ 起

随着动作由低到高。"起"跟"上"不同在："上"有到达的位置，后边要有处所词，"起"没有。例如：

（15）他抬起头，向远方看去。

（16）他提起行李走出门去。

合成的趋向动词表示动作方向性时带有双重的方向性。例如：

搬进来　（空间处所外→空间处所内）

　　　　（远离说话人位置→靠近说话人位置）

走下楼来（由高位到低位）

　　　　（说话人的位置在楼下）

他回学校去了（到原处——学校）

（离开说话人）

2　引申意义：

趋向动词作补语时常常有引申用法。下面重点讲几个：

▲　上

A　表示靠近或合拢、关闭。

　　　（17）我快跑几步追上了他。（靠近）

　　　（18）太累了，闭上眼睛休息一下。（合拢）

　　　（19）时间不早了，关上电视睡吧。（关闭）

B　使某物附着于、存在于某处或添加进去。

　　　（20）在领带上别上一个领带夹就好了。（使附着）

　　　（21）我想在这儿摆上一个花瓶。（使存在）

　　　（22）这次活动一定算上我。（添加）

C　表示达到了一定的目的（常指不太容易达到的目的）。

　　　（23）经过几年的努力，我们总算住上了新房。

　　　（24）他被评上了优秀学生。

D　表示动作开始并将继续下去。

　　　（25）你们怎么刚写了一会儿作业就玩上了。

　　　（26）从去年开始，我就喜欢上了集邮。

▲　下

A　使固定下来

　　　（27）一定要打下牢固的基础。

　　　（28）这件事给我留下了深刻的印象。

B　使脱离或离开某处

　　　（29）他摘下帽子，脱下外衣，走进屋来。

C　表示容纳一定的数量。

　　　（30）这个箱子挺大的，这些衣服都能装下。

　　　（31）这个体育场能容下两万人。

▲　过

A　表示由一处到另一处。

　　（32）她接过生日礼物，激动得流下了热泪。

B　表示改变方向。

　　（33）转过身子，让大家看看背面。

C　表示超过了合适的点。

　　（34）糟了，我们坐过了站了。

　　（35）使过了劲儿，竟把盖给拧坏了。

▲　下来

A　表示使分离

　　（36）把邮票拆下来，保存起来。

　　（37）他把帽子摘下来，轻轻地拂去上面的尘土。

B　表示使事物固定

　　（38）汽车在前面停了下来。

　　（39）我们就在这儿住下来吧。

C　表示从过去继续到现在或开始出现并继续发展

　　（40）他终于坚持了下来。（从过去继续到现在）

　　（41）她渐渐地安静了下来。（开始出现并继续发展）

▲　起来

A　表示由分散到集中、紧凑等。

　　（42）把大家的意见集中起来。

　　（43）把这些衣服收拾起来。

B　表示从某方面进行估计、评价。

　　（44）这些事说起来容易，做起来难。

　　（45）看起来，他不会同意了。

C　表示开始并继续。

　　（46）大家热烈地讨论了起来。

　　（47）她吓得叫了起来。

“下去”“起来”用于形容词后，都有表示某种状态开始或继续的意义，但形容词的色彩不同。"起来"多用于积极意义的形容词；"下去"多用于消极意义的形容词。但如果表示假定继续状态，则不受这种限制。例如：

好起来　　坏下去　　　亮起来　　　暗下去
坚强起来　软弱下去　　富裕起来　　贫困下去
再胖下去可不行　　　　硬下去不会有好结果的

（三）趋向补语句中宾语的位置

简单趋向补语，一般跟在动词后，宾语前。趋向动词是"来""去"，宾语表示抽象事物或存现宾语，只位于宾语前；命令句或宾语表示处所，只位于宾语后。例如：

一般：　　　　回过头　　　举起手　　　走出家门
抽象、存现：飘来花香　　带来困难　　走来一个人
处所、命令：下山去　　　回房来　　　倒水来！

复杂趋向补语（合成的），有三种情况：

1　宾语是表示一般的事物或人的名词，位于补语中间或补语之后都可以。例如：

走进一个人来　　　　　走进来一个人
递过一本书来　　　　　递过来一本书

2　宾语是处所词语，只能位于补语中间。

跑进教室里去　　　　　*跑进去教室里
走下楼来　　　　　　　*走下来楼

3　离合动词（动词和宾语结合得很紧），宾语位于补语中间。

说起话来　　　　　　　*说话起来
回过头来　　　　　　　*回头过来

练习二十二

一　根据句子意思，按要求填空：

198

(一) 填上适当的结果补语:

(1) 她不一会儿就把书柜里的书摆（　　　）了。

(2) 我好不容易才找（　　　）这把钥匙。

(3) 你怎么这么脏呀? ——路太滑，摔（　　　）了。

(4) 打（　　　）窗子透透空气吧!

(5) 来，帮帮忙! 把门扶（　　　），不要让它乱动。

(6) 你先睡吧，我看（　　　）电视再睡。

(7) 看看你，这自行车不但没修（　　　），反而越发修
（　　　）了。

(8) 把要求讲（　　　）、讲（　　　），这样大家做的时候
才能做（　　　）。

　贴（　）邮票　　记（　）这句话　　找（　）钥匙了

　拆（　）零件　　卖（　）它　　　　得（　）机会

(二) 填上适当的趋向补语:

(9) 她蹦蹦跳跳地朝花坛那儿跑（　　　）。

(10) 他摘（　　　）一片树叶，吹（　　　）了一支动人的曲子。

(11) 是他去机场把老教授接（　　　）的。

(12) 他转（　　　）身（　　　），一步一步地向我走（　　　）。

(13) 来中国不久，我就交（　　　）了两个新朋友。

(14) 她激动得站（　　　）身（　　　），一句话也说不（　　　）。

(15) 鹅毛大雪一片一片地飘落（　　　），把一切的一切都盖
（　　　）了，整个世界变成了一片银白。

(16) 她说她一定要把这件事情做（　　　），不能半途而废。

(17) 我们的日子一天天好了（　　　）。

(18) 他的身体一天天垮（　　　）了，精神也越来越消沉了，
我们不能就这样看着他倒（　　　）呀。

二　判断选择:

根据句子意思，判断 A、B、C、D 中哪一个意思符合句中趋向补语的意思：

1　上
　　A　开始并继续　　　　B　合拢、关闭
　　C　附着、存在　　　　D　达到目的

(1) 风太大了，把窗关上吧。（　）

(2) 听说，小王爱上李丽了，是吗？（　）

(3) 我中上大奖了。（　）

(4) 这两封信还没贴邮票。来，帮我把邮票贴上。（　）

(5) 大家闭上嘴，从现在开始不要再说话了。（　）

(6) 我们在院子里种上几棵树吧。（　）

(7) 他们已经赛上了，我们快去吧。（　）

2　下
　　A　由高到低　　　　　B　容纳一定数量
　　C　使固定　　　　　　D　脱离、离开

(1) 他暗暗地记下了这笔账。（　）

(2) 这个书包能装下这些书吗？（　）

(3) 快坐下歇一会儿。（　）

(4) 他摘下眼镜，擦去上面的雨水。（　）

(5) 记者拍下了这个珍贵的镜头。（　）

(6) 他一不小心滚下山坡，把腿摔坏了。

3　过
　　A　经过、通过　　　　B　由一处到另一处
　　C　改变方向　　　　　D　超过合适的点

(1) 穿过一片小树林，来到一条小河旁。（　）

(2) 明天早上赶火车，千万别睡过了。（　）

(3) 在他回过头的刹那间，我就认出了他。（　）

(4) 他的嘴角上掠过一丝微笑。

（5）她接过老人的背包，扶着老人走下楼去。（　）

（6）汽车掉过头，朝北开去了。（　）

4　下来

　　A　使分离　　　　　B　由高到低并靠近

　　C　使固定　　　　　D　开始出现并继续发展

（1）天渐渐地暗了下来。（　）

（2）从树上跳下来一只小猴子。（　）

（3）把零件都卸下来，用油仔细擦擦。

（4）风停了，雨住了，海也静了下来。（　）

（5）让我留下来照顾他吧。（　）

（6）她从本上撕下来一张纸，写了一封短信。（　）

5　起来

　　A　由低到高　　　　B　由分散到集中

　　C　开始并继续　　　D　从某方面估计、评价

（1）大家团结起来，一定能战胜困难。（　）

（2）几个姑娘情不自禁地唱起歌来。（　）

（3）太阳升起来了，照得人们睁不开眼。（　）

（4）这菜看起来差点儿，吃起来还是挺不错的。（　）

（5）我的话音刚落，大家就纷纷议论起来。（　）

（6）这件衣服穿起来一定很漂亮。（　）

（7）时间不早了，把风筝收起来吧。（　）

三　把每组的两个句子组织成一个带有结果补语的句子：

　　　　例：A　我学习写信。　　B　我会写信了。

　　　　改：我学会写信了。

　　　　（1）A　他扫院子。　　　B　院子干净了。

　　　　改：

　　　　（2）A　我看这篇文章。　　B　这篇文章我懂了。

201

改：

(3) A 我借那本书。　　　B 我得到那本书了。

改：

(4) A 树上的树叶掉了。　B 树上的树叶光了。

改：

(5) A 他被雨淋了。　　　B 他的衣服全湿了。

改：

(6) A 他做米饭。　　　　B 米饭硬了。

改：

(7) A 他走路。　　　　　B 他路走得不对。

改：

(8) A 他大声喊。　　　　B 他嗓子哑了。

改：

四　把括号中的趋向动词放到适当的位置上：

掏__手绢__（出）　　　　爬__山__（上）

下__山__（去）　　　　　拿__钱__！（来）

送__温暖__（来）　　　　走__一个__孩子__（来）

谈__话__（起来）　　　　游__河__（过去）

送__家__（回去）　　　　举__手__（起来）

走__教室__（进来）　　　转__身__（过来）

爬__树__（上去）　　　　拿__一封信__（出来）

还__图书馆__（回去）　　跑__一匹__小马__（出去）

五　改正下列句子中不适当的地方：

(1) 风这么大，把树都刮了弯。

(2) 你怎么把汽车停起来了？

(3) 这几个单词我练了好几遍了，记了。

202

（4）我们把大厅布置了，你来看看行不行。

（5）我看他们那么亲切、热情地帮助别人，深受感动。

（6）吃饭完了以后，我们又聊了很长时间。

（7）她的汉语水平提高得很快，现在都能听见中文广播了。

（8）我一起完头，大家就一起唱了下去。

（9）外面下雨了，快把衣服收进！

（10）时间一分一秒地过了，她还是处在昏迷中。

（11）我出车站，看见小王正快步向我走。

（12）他看见我走进，立刻从病床上坐上来，我赶快走去扶住他。

（13）参观完后，我们打算回去宾馆。

（14）来中国以后，妈妈经常给我寄包裹去。

（15）她的话给我带一线希望来了。

（16）你已经错了，不要再坚持起来了。

第二十三课　情态补语、数量补语

一　情态补语

情态补语主要指动词、形容词后用表示程度、描写、评价一类补语。这种补语大多用"得"连接。

分为两种：

（一）用在形容词或心理动词后，表示程度。

1　用"极""透""死""坏"做补语，补语前不加"得"，补语后要加"了"。例如：

　　（1）他心里难过极了。（＊难过得极了）

　　（2）这件事麻烦透了。（＊麻烦得透了）

2　用"多""远"做补语，补语前可加"得"，也可不加"得"；句末加"了"有夸大程度的语气。例如：

　　（3）他们俩的性格差远了。（差得远了）

　　（4）他的汉语比我强多了。（强得多）

3　用"很""慌""要命""要死""不得了""不行"等做补语，补语前必须加"得"。例如：

　　（5）虽然只是一句话，却把他气得要命。

　　（6）他最近忙得很，别去打扰他。

　　（7）听到这个消息，他高兴得不得了。

（二）用在动词后，表示对动作状态的描写、情况的说明与评价。补语前要用"得"；补语一般由动词、形容词及其词组充当。例如：

　　（8）动作做得太猛了。（说明动作）

（9）昨天晚上他睡得很晚。（说明动作）

（10）这篇文章写得很好。（评价主语）

（11）我忙得忘了吃饭。（说明、描写主语——动作者）

（12）这个小女孩长得真可爱。（描写主语）

（13）他把花瓶摔得粉碎。（描写"把"字宾语）

补语描写的主语是做动作者时，也可以把主语放到"得"后边。如例句（11），可以改成：

忙得我忘了吃饭。

描写"把"字宾语的补语句，补语不用否定形式。例如：

＊他把花瓶没摔得粉碎。（＊摔得没粉碎）

有宾语的句子同时有情态补语时，有两种方式：

▲重复动作： 他说汉语说得很流利。

▲宾语放动词前： 他汉语说得很流利。

另外，口语中也有用"个""得个"引进补语的。如：

（14）这水多好啊！咱们今天可要游个痛快。

（15）战士们把敌人打得个落花流水。

用"得"引进的补语，一般是已实现的情况，动词和"得"之间不能加"了"；用"个"引进的补语，可以表示未完成的动作，强调动作已完成时，动词后可以加"了"。如：

（16）孩子们把小屋弄了个乱七八糟。

＊孩子们把小屋弄了得乱七八糟。

有情态补语的句子，全句的重心在补语部分，谓语动词、形容词前一般不再出现描写性状语和程度副词。例如：

＊他拼命地跑得很快。

＊她很难过得流下了泪。

二　数量补语

数量补语表示动作和变化的数量。包括三种：动量补语、时量补语、比较数量补语。

（一）　动量补语

表示动作行为进行的数量，用动量词作补语。例如：

（1）这部电影我已经看了三遍了。

（2）我拿不动了，请帮我一下。

（3）我狠狠地踢了他一脚。

（4）他很不满意地看了我一眼。

▲　时态助词"了""过"放在动词后，补语前。

（5）来中国后我去过两次长城。

　　＊来中国后我去两次过长城。

▲　宾语的位置：一般事物名词作宾语大多位于补语后；人称代词作宾语，位于补语前；人名、地名作宾语可前可后。

（6）你帮我站一下队，我马上回来。（事物名词）

　　＊你帮我站队一下，我马上回来。

（7）那个司机骗过我一回了。（人称代词）

　　＊那个司机骗过一回我了。

（8）我去医院看过两次小王了。（人名）

　　＊我去医院看过小王两次了。

▲　带动量补语的句子，一般不用否定式；表示辩白时，可在动词前加"没"否定。

（9）＊最近我很忙，没看过他一次。

（10）哪里，我只写了一遍，没写三、四遍。

（二）　时量补语

时量补语表示动作、状态时间的长短。由表示时段的词语充当。例如：

（1）我喊了你半天。（持续时间）

（2）他书房里的灯亮了一晚上。（持续时间）

（3）他比我早来一个月。（比较相差的时间）

（4）我在北京住了三年了。（动作开始持续到说话时的
时间）

（5）他死了十年了。（动作结束后持续到说话时的时间）

▲ 宾语位置：一般名词多位于补语后；宾语是人称代词或
称呼，常位于补语前；处所宾语，一般位于补语前。

（5）我们开了一晚上会。

＊我们开了会一晚上。

（6）老师等了你十多分钟。

＊老师等了十多分钟你。

（7）我来中国一年多了。

＊我来一年多中国了。

（三） 比较数量补语

比较数量补语用在形容词后表示比较结果。例如：

（1）他们公司的产值比我们公司高好几倍。

（2）姐姐比妹妹大五岁。

（3）他比我高一头。

（4）这条路比那条路远一些／一点儿。

比较的数量不能放在形容词前。例如：

＊姐姐五岁比妹妹大。

＊他的书比我的一些多。

练 习 二 十 三

一 根据所给的词语，按要求造句：

（一）造带情态补语的句子：

例：他学习　　他很努力

改：他学习得很努力。

房间干净　　特别干净

改：房间干净极了。

(1) 她写字　　字很好看

(2) 这朵红花漂亮　　非常非常漂亮

(3) 小丽打扫屋子　　屋子干干净净

(4) 这道题难　　难到顶点

(5) 他肚子疼　　他觉得自己要死了

(6) 他骑自行车　　速度很快

(7) 她很愁　　吃不下饭、睡不着觉

(8) 她表演杂技　　杂技十分精彩

(二) 将下列句子改成带数量补语的句子：

例：整整一个上午，我都在跟医生谈话。

改：我跟医生谈了整整一上午的话。

(1) 你可以请朋友帮你买票。

改：

(2) 他以前有两次去中国的经历。

改：

(3) 狗朝他腿上咬去。

改：

(4) 这个问题至少有三次问过老师。

208

改：

（5）这里的房费八美元，别处十美元。

改：

（6）你每天用多长时间看电视？

改：

（7）这一年多来，她一直照顾我。

改：

（8）他是一个多月前来这儿的。

改：

二　根据句子意思，按要求完成句子：

（一）　用情态补语完成句子（注意"得"的使用）：

（1）她感动＿＿＿＿＿＿＿＿＿＿＿＿＿＿＿＿。

（2）最近这趟车人多＿＿＿＿＿＿＿＿＿＿＿＿＿＿＿。

（3）他听音乐听＿＿＿＿＿＿＿＿＿＿＿＿＿＿。

（4）她信写＿＿＿＿＿＿＿＿＿＿＿＿＿＿。

（5）把孩子高兴＿＿＿＿＿＿＿＿＿＿＿＿＿。

（6）累（得我）＿＿＿＿＿＿＿＿＿＿＿＿＿＿。

（二）　用数量补语完成句子：

（1）这水很甜，你喝＿＿＿＿试试。

（2）你在这等我＿＿＿＿＿。

（3）不经历＿＿＿＿挫折，你是不会长大的。

（4）这篇课文我才看了＿＿＿＿就记住了。

（5）房间钥匙不见了，小王帮我找了＿＿＿＿也没找到。

（6）今年雪特别多，一共下了＿＿＿＿。

三　辨别正误（正确的在（　）中画"○"）：

（1）他说汉语好极了。（　）

他汉语说得好极了。（　）
(2) 在老师的耐心帮助下，我们很快提高了。（　）
　　在老师的耐心帮助下，我们提高得很快。（　）
(3) 时间来不及了，所以他走得很快。（　）
　　时间来不及了，所以他走了很快。（　）
(4) 他比我说得流利得多。（　）
　　他比我的说流利很多。（　）
(5) 累了吧，咱们坐下来休息一点儿。（　）
　　累了吧，咱们坐下来休息一会儿。（　）
(6) 她朝我摆了几下手，示意我不要说。
　　她朝我摆手了几下，示意我不要说。
(7) 小朴去年回了国一次。
　　小朴去年回了一次国。
(8) 他的自行车坏了，他好长时间推着自行车走了。
　　他的自行车坏了，他推着自行车走了好长时间。

四　改正下列句子中不适当的地方：
(1) 昨天晚上，他睡觉得好极了。
(2) 在桂林的那几天，我过了最愉快。
(3) 你太晚来了，他着急了，先走了。
(4) 下雨越来越大了，我们等一会儿再走吧。
(5) 他听到这个消息，一夜高兴得没睡着觉。
(6) 他汉语说得跟中国人不差。
(7) 她作业很认真地写得很整齐。
(8) 我每天用汉语跟朋友一个半小时交谈。
(9) 这个房间大那个房间五平方米。
(10) 我打算在这儿一年到两年学习。
(11) 爸爸生气地瞪了一眼我。

210

（12）李明敲了门几下，屋里没人答应。

（13）他每星期一次来我房间。

（14）她很热情，我们用汉语聊天了半天。

第二十四课　　可能补语、介词短语补语

一　可能补语

可能补语表示可能或不可能。有三种类型：

（一）　　　　得/不＋结果补语/趋向补语

表示动作的结果或趋向是否可能实现，表示可能加"得"；表示不可能加"不"。例如：

　　（1）电话打得通吗？

　　（2）别看东西多，好好摆摆，肯定装得下。

　　（3）生词太多了，记不住。

　　（4）箱子太重了，拿不起来。

▲　表示"不应该""不准许"的意义时，要用"不能"的形式，不能用表示不可能的补语。例如：

　　（5）他们正在开会，你不能进去。

　　　＊他们正在开会，你进不去。

　　（6）你不能说出这种伤害人的话。

　　　＊你说不出这种伤害人的话。

▲　常用的是否定形式——不可能，肯定形式用得较少。主要用于下列几种情况：

1　回答有可能补语的问话。

　　你听得见听不见？——听得见。

2　动词前有表示肯定或无把握语气的副词。

　　你去商店看看吧，也许还买得到。

3　婉转地表示否定。

212

她的病不是药能治得好的。

▲ 谓语动词多用单音动词，如果双音与单音同义，用单音形式。例如：

回答　　答得出　　答不出

考试　　考得好　　考不好

▲ 一般不能用于下列句式中：

1 句中带有描写性状语。

＊他拼命地做得完这项工作。

2 "把"字句、"被"字句的谓语动词后，连动句的第一个动词后。

＊吃饭前，我把作业做得完。

＊敌人被战士们打得败。

＊食堂没开门，我们进不去食堂吃饭。

3 句子意思不在于表示可能或不可能。

＊他打了几次电话才打得通。

4 动词前有"不能"时。

＊她说的话我不能全听得懂。

▲ 表示不可能的程度差别时，可在补语中间加上"太""大"等一类程度副词。例如：

听不大清楚　　说不太准　　住不太惯

（二）　　　得/不＋了（liǎo）

这种补语表示是否可能实现某种动作或变化；表示对某种变化、性状、程度的估计。"得了"是肯定形式；"不了"是否定形式。例如：

（1）他肚子疼，今天的参观去不了了。

（2）我们一定赢得了他们。

（3）天又晴了，看样子，雨又下不了了。

（4）这小河，水深不了，过得去。（估计）

（5）你比小王大不了几岁。（估计）

用在形容词后表示对性状、程度估计的可能补语，一般多用于否定式或具有否定意义的句子。

在使用上，这种补语主要用于口语

（三）　　　得/不得

"得"是肯定形式，表示"能够""可以"；"不得"是否定形式，表示"不能够""不可以"。例如：

（1）那个地方太偏僻，去不得。

（2）这个人你可小看不得。

（3）那简直是一颗老虎牙，拔不得。

有一部分结构形式跟这种补语形式相同的词组，由于它们总在一起用，已经形成一种固定结构，相当于一个词了。例如：

　怪不得　　　顾不得　　　恨不得　　　巴不得

　值得/值不得　　舍得/舍不得　　记得/记不得

在使用上，这种句子主要用于规劝、提醒、警告，所以，一般只用否定形式，以说明不要做某动作或避免某现象发生。

※　使用可能补语时要注意以下几点：

1　可能补语表示的语法意义主要是主客观条件是否允许实现某动作、变化、结果等，因此一般用于未完成的动作或临时变化的情况；动词或补语后不能用表示完成意义的"了"。例如：

（1）昨天的作业写完了吗？——没写完。（＊写不完）

（2）昨天晚上突然肚子疼，所以没去看电影。

　　＊昨天晚上突然肚子疼，所以看不了电影了。

（3）都两点了，怎么一个人也没来。

　　＊都两点了，怎么一个人也来不到/了（liǎo）。

（4）这箱子不重，你看我拿了得起来。

2　如果动词后有宾语，可以有两个位置：补语后或提到动词前作主语，但不要放在动词和补语之间。例如：

214

（5）我听得懂他的话。/他的话我听得懂。

　　＊我听他的话得懂。

（6）这件事我办得了。

　　＊我办这件事得了。

（7）这件事太为难他了，我开不得口。

　　＊这件事太为难他了，我开口不得。

▲　这三种可能补语，都可以用肯定、否定相叠的形式表示疑问。例如：

　　买得起买不起？　　来得了来不了？　　看得看不得？

二　介词词组补语

　　介词词组补语是由"于""自""向""在""到"等介词组成介词词组放到动词、形容词后，表示时间、处所、方向、比较等。例如：

（1）马克思出生于 1818 年。（时间）

（2）疗养院座落在半山腰。（处所）

（3）溪水欢快地流向远方。（方向）

（4）我们来自五湖四海。（处所）

（5）他经常工作到黎明才睡觉。（持续时间）

（6）我一直把他送到车站才回来。（到达处所）

（7）文章的字数不能少于一万字。（比较）

　　介词词组作补语时，语音停顿在介词后；表示时态意义时，"了"要放在介词后，不要放在动词后。例如：

（8）我把那几本辞典放在了你的桌子上。

　　＊我把那几本辞典放了在你的桌子上。

练习二十四

一　判断正误（正确的在（　）中画"○"）：

(1) A 墙太高了，没有梯子恐怕上不去。（　）

　　 B 墙太高了，没有梯子恐怕上不得。（　）

(2) A 你要好好学习，做不出让父母失望的事来。（　）

　　 B 你要好好学习，不能做出让父母失望的事来。（　）

(3) A 这山不太高，登得上去。（　）

　　 B 这山不太高，攀登得上去。（　）

(4) A 他找了小王几次才找得到小王。（　）

　　 B 他找了小王几次才找到小王。（　）

(5) A 看样子，这雨不能停下来，别等了，走吧。（　）

　　 B 看样子，这雨停不了了，别等了，走吧。（　）

(6) A 这封信你能亲自给他送过去吗？（　）

　　 B 这封信你亲自给他送得过去吗？（　）

(7) A 作业太多了，今天晚上写不完了。（　）

　　 B 作业太多了，今天晚上不能写完。（　）

(8) A 他汉语说得很地道，谁都不能听出来他是外国人。（）

　　 B 他汉语说得很地道，谁都听不出来他是外国人。（）

二　按要求填空：

（一）选择适当的可能补语填空：

(1) 书柜太重了，两个人搬＿＿＿＿＿。

(2) 屋子太小了，住＿＿＿＿＿这么多人。

(3) 这段话你用汉语说＿＿＿＿＿吗？

(4) 他的电话号码你还记＿＿＿＿＿吗？

(5) 那家饭店太宰人了，去＿＿＿＿＿。

216

（6）下班的时候，骑自行车的人太多了，大意_____。

（7）他的车被撞坏了，开_____了。

（8）你连十分钟的路都走_____，怎么爬八达岭呀？

（二）选择适当的介词词组补语填空：

（1）我把父母的嘱托都牢牢地记_____。

（2）清冷的月光撒落_____。

（3）这条小路通_____。

（4）景德镇瓷器驰名_____。

（5）他出生_____。

（6）这条消息摘_____。

（7）最近他正忙_____。

（8）我们的感谢是真诚的，是发_____。

三　按要求变换句子：

（一）将下列句子变换成带有可能补语的句子：

例：路很滑，我虽然拉了闸，可汽车还继续向前行驶。

改：路很滑，我虽然拉了闸，可汽车还是停不下来。

（1）雾太大了，我不能看清楚航标灯的位置。

改：

（2）买票的人太多了，恐怕不能买到了。

改：

（3）天气不好，今天的郊游不能去了。

改：

（4）那家宾馆一般的人都能住，不会太贵的。

改：

（5）刚跑完步，不要马上喝凉水。

改：

（6）病刚好，需要好好休息，不要太劳累了。

改：

（二）将下列句子变换成带有介词词组补语的句子：

例：他是在北京出生的。

改：他出生于北京。

（1）这句话是从鲁迅小说中引出的。

改：

（2）这些信都是往美国寄的。

改：

（3）文学作品都应该从生活中来，但却又比一般生活高。

改：

（4）：他正在候车厅里坐着等火车呢。

改：

（5）她高兴地叫着，向妈妈扑了过去。

改：

四　改正下列句子中不适当的地方：

（1）她的话起初我不能都听得懂。

（2）我打了几次电话才打得通。

（3）她讲得很慢、很清楚，我很容易就听得懂。

（4）你连一块石头都不能搬动，怎么能搬走山呢？

（5）屋里太暗了，没有闪光灯，照像不了了。

（6）那种衣服只有大号的了，我不能穿，所以买不到了。

（7）时间只有一个月，你的论文写了得完吗？

（8）那天晚上天很黑，还下着雨，路上一个人也不看见。

（9）你这样做，不能做好。

（10）你不能难他倒吧？我相信我一定难他得倒。

（11）黑板上的字，我不太看清楚。

218

（12）你最近咳嗽太厉害了，再抽烟不了了。

（13）机器坏了，把材料印不了了。

（14）下午我有事，去不了商店买东西了。

（15）他倒了在草地上，高兴地打着滚。

综合练习八

一 判断：

（一）判断正误：

（1）他把全部精力都扑了在事业上。（　）

他把全部精力都扑在了事业上。（　）

（2）我不能写汉字那么快，你慢点儿说。（　）

我写汉字不能写得那么快，你慢点儿说。（　）

（3）他画得比我好多了。（　）

他画得比我好极了。（　）

（4）他一次去了长城。（　）

他去了一次长城。（　）

（5）上课完了，我就去找你。（　）

上完了课，我就去找你。（　）

（6）这篇文章不错，争取在杂志上登出来。（　）

这篇文章不错，争取在杂志上登起来。（　）

（二）判断选择：

1　上：　a 开始并继续　　b 合拢、关闭

c 附着、存在　　d 达到目的

（1）来，帮我把桌布铺上。（　）

（2）他们已经干上了，咱们也开始吧。（　）

2　下来：a 由高到低并靠近　　b 使分离

c 开始出现并继续发展　d 使固定

219

（1）快把湿衣服换下来吧。（　）

（2）当时，我一感到有危险，就立刻把车停了下来。（　）

3　起来：a 由低到高　　　　b 由分散到集中

　　　　　　c 开始并继续　　　d 从某方面估计、评价

（1）把一切人力、财力集中起来，支援灾区。（　）

（2）会场这样布置起来，效果一定很好。（　）

二　把括号中的趋向动词填到词组中合适的横线上：

伸＿＿＿手＿＿＿（出）　　　　走＿＿＿楼梯＿＿＿（下）

拿＿＿＿本事＿＿＿（出来）　　爬＿＿＿山＿＿＿（上去）

转＿＿＿头＿＿＿（过来）　　　走＿＿＿一个人＿＿＿（进来）

三　按要求填空：

（一）填上适当的结果补语：

（1）她不一会儿就把屋子收拾＿＿＿＿＿了。

（2）打＿＿＿＿＿录音机，咱们听会儿音乐吧。

（3）把这个歹徒捆＿＿＿＿＿，不要让他跑了。

（4）大家听＿＿＿＿＿要求，记＿＿＿＿＿操作方法，一会儿好操作。

（二）填上适当的趋向补语：

（1）有人在打雪仗，欢快地笑声、叫声远远地传＿＿＿＿＿。

（2）衣服都干了，收拾＿＿＿＿＿吧。

（3）我走＿＿＿游泳馆时，正好看到她从十米高台上做着优美的动作跳＿＿＿＿＿。

（4）我亲眼看到这里的农民们一天天地富裕＿＿＿＿＿＿＿＿＿。

（三）填上适当的情态补语（注意“得”的使用）：

（1）天空蓝蓝的，雪白白的，这里的一切都美＿＿＿＿＿＿。

（2）她按要求做＿＿＿＿＿＿、＿＿＿＿＿＿。

（3）把我忙_____。

（4）这里的夜市热闹_____。

（四）填上适当的数量补语：

（1）太累了，我们在这儿坐_____，休息_____吧。

（2）为了买这本书，已经往书店跑_____了，总算买到了。

（3）就这一点儿作业，他竟做了_____。

（4）晚会已经开始_____，你们怎么才来。

（五）填上适当的可能补语：

（1）他才学了一个月的汉语，怎么听_____呢？

（2）他住的地方你还记_____吗？

（3）这包太小了，装_____这么多东西。

（4）连一碗稀饭你都吃_____，身体怎么受_____。

（六）填上适当的介词词组补语：

（1）我靠_____看书，阳光照_____，暖暖地。

（2）他毕业_____。

（3）我们都来_____。

（4）他将自己辛勤的汗水洒在走_____的道路上。

四　根据下列句子的意思，将句子改成带有补语的句子：

（1）我问那件事了。那件事我已经清楚了。

改：

（2）苹果已经变了。苹果的颜色红了。

改：

（3）他正在走。他向我这边走。

改：

（4）她哭了。她的眼睛红了。

改：

（5）我最近很忙。我没有聊天的时间。

改：

 （6）为了了解中国文化源流，我五次去了敦煌。

改：

 （7）那是一家比较高级的宾馆，估计条件不会差。

改：

 （8）这件事太复杂了，孩子又小，不能说清楚。

改：

 （9）她从肺腑里发出来的歌声，感动了听众。

改：

五 改正下列句子中不适当的地方：

 （1）孩子们在院子里堆雪人起来。

 （2）开车太快了，出了交通事故。

 （3）今天的中国发展得真快。

 （4）我跟她很能谈，慢慢地就喜欢她了。

 （5）来，你给大家说用法。

 （6）那天，我给你打了好几次电话才打得通。

 （7）他说话得很慢，很清楚地解释。

 （8）我的话音刚落，大家就欢呼。

 （9）这里的房租比别处百分之十便宜。

 （10）我们汉语水平较低，心里虽然有很多话，却不能说。

 （11）我跑了在前头，很有信心得第一。

 （12）直到第二天中午，我才看得到有关地震的新闻。

特殊句式是指一些在句子结构形式上较特殊的句子，例如：双宾语句、连谓句、兼语句、主谓谓语句、存现句等。

第二十五课
双宾语句、能愿动词句、主谓谓语句

一　双宾语句

双宾语句是指一个谓语动词后带有两个宾语的句子，其中一个宾语指人，一个宾语指事物。例如：

　　（1）他给我一张票。

　　（2）我问老师几个问题。

　　（3）告诉大家一个好消息。

1　谓语动词的意义特点：

▲　是由表示"给予"或"取得"意义的动词担当。这类动词有：

给予：　给　送　教　奖　送　还　赔　赏　赠　交

　　　　托付　告诉　通知　报告　赠送　转交　退还

取得：　拿　借　买　偷　问　抢　夺　收　赢　罚

骗 占 求 请教 麻烦 浪费

以上动词，表示事物的宾语可以是一个词。例如：

　　　还他一本词典　　　　买她一束花

表示言语活动的动词，如：告诉、通知、问、嘱咐、责怪教导、骂、夸等，表示事物的宾语可以是小句，即言语内容。　例如：

　　　(4) 老师嘱咐我好好学习、天天向上。

　　　(5) 我问小王下午几点出发。

2　结构上的特点：

▲　表示人的宾语在前；表示事物的宾语在后。例如：

　　　他赠我一支钢笔。

　　　*他赠一支钢笔我。

▲　不必用介词引出对象。例如：

　　　我请教老师一个问题。

　　　*我请教向老师一个问题。

▲　双宾语一个回答"谁"，一个回答"什么"，两者之间不是所属关系，不要加"的"。例如：

　　　他送我一本书。

　　　*他送我的一本书。

二　能愿动词句

　　能愿动词句是以能愿动词为谓语动词构成的句子。汉语中的能愿动词有：

表示愿望的：　要　想　愿　愿意　情愿　肯　敢

表示可能的：　可能　能　能够　可以　可　会

表示必要的：　应该　应　应当　该　得 (dei)　要

能愿动词句的结构特点：

1　能愿动词后边只能接动词、形容词及其词组。

　　　(1) 他可能病了。

224

（2）这么晚了，你还不回去，你妈会着急的。

（3）你应该参加这次活动。

＊我应该向他说明的理由。

＊今天晚上，你应该作业。

2 能愿动词不能重叠，也不能带时态助词"了""着""过"。

＊你应该应该帮助我。

能愿动词后的动词仍可以重叠。

（4）你应该帮助帮助我。

＊她愿意了跟我一起去。

只要句子意义允许，可以连用能愿动词。

（5）这个时候，他可能该回家了。

3 肯定形式、否定形式并用表示疑问时，只能用能愿动词，不能用后面的动词、形容词。

（6）她会不会担心？

＊她会担心不担心？

（7）他能不能来参加比赛？

＊他能来不来参加比赛？

4 回答问题时，可以单独用能愿动词，但不能只用动词部分，表达意愿、可能等意义是能愿动词句的主要意义。

（8）你愿意参加吗？ ——愿意。

——＊参加。

5 能愿动词做谓语时，前边不能用"把""被""向""给"等介词构成的状语，一般也不能用描写性状语。

（9）你今天应该把这项实验搞完。

＊你今天把这项实验应该搞完。

（10）你能向老师说明这一情况吗？

＊你向老师能说明这一情况吗？

（11）这些图片有的不清楚，咱们得好好地选一选。

＊这些图片有的不清楚，咱们好好地得选一选。

能愿动词意义比较：

▲　　　能　　　会

1　表示"有可能"时，用"能"、"会"都可以，常常用来表示某种估计或推测。用"会"时，句末常加"的"，表示肯定的语气。

（1）下这么大的雨，他能/会来吗？

——他已经说了要来，能来。

他已经说了要来，会来的。

（2）天上一点儿云也没有，不会/能下雨。

2　表示主观上具备某种技能、客观上具备某种条件，用"能"；表示怎样做、掌握某种技能用"会"。

（3）她能用汉语写日记了。

（4）最近我很忙，不能参加周末的活动了。

（5）她不怎么会说普通话。

（6）你会不会做中国菜？

3　表示初次学会某种动作或技能，用"能""会"都行，但多用"会"；表示某种能力得到恢复，只能用"能"，不能用"会"。

（7）我儿子刚一岁就会走了。

（8）她已经会用电脑了。

＊我的牙不疼了，会吃饭了。

＊他清醒过来了，会说话了。

4 表示具备的某种技能，已经达到某种效率、标准，用"能"，不用"会"。

（9）他开汽车每小时能走180公里。

＊他开汽车每小时会走180公里。

（10）她一个小时能打一万字。

＊她一个小时会打一万字。

226

5 表示善于做某事，用"能""会"都行，前面都可以用"很""最""真"等程度副词。但"会"侧重于"技巧"，"能"侧重于"能力"。

(11) 他很能干。/他很会干。

(12) 她很能说。/她很会说。

▲ 能 可以

1 "能"以表示能力为主，"可以"以表示可能为主。因此，"能"可以表示善于做某事，"可以"不行。

(1) 他很能写，一写就是一个通宵。

＊他很可以写，一写就是一个通宵。

2 "能"可以表示具有某种客观的可能性，可以表示某种推测、估计，"可以"不行。

(2) 雨下得那么大，他不能来了，别等了。

＊雨下得那么大，他不可以来了，别等了。

(3) 天阴得厉害，一会儿一定能下雨。

＊天阴得厉害，一会儿一定可以下雨。

3 "能""可以"都可以表示情理上、环境上"许可"的意思，但肯定形式多用"可以"，否定、疑问形式多用"能"。

(4) 我能看着他们有困难不帮助吗？

＊我可以看着他们有困难不帮助吗？

4 "可以"能单独作句中谓语，"能"不行。

(5) 这样做也可以。

＊这样做也能。

三 主谓谓语句

主谓谓语句是由主谓词组做句中谓语的句子。主要用来说明、评价或描写。例如：

(1) 他个子很高。

（2）黄山景色很美，春假我们去黄山吧！

（3）这件连衣裙颜色很淡雅，样子很别致，就买这件吧！

（4）那个展览我已经看过了。

练习二十五

一　用名词性、动词性词语或能愿动词填空：

（1）他借了____多少钱？

（2）我____你一个好消息。

（3）我的朋友给我_____。

（4）老师教导我们_____。

（5）这儿____吸烟吗？

（6）我____下个月回国。

（7）他遇到了麻烦，你____帮帮他。

（8）我一定____把这件事办好。

（9）这条河挺宽的，你____游过去吗？

（10）你____参加我们的活动小组吗？

二　判断选择填空：

　　　　a 能　　　b 会　　　c 可以

（1）小孩一生下来就（　　）吃奶。

（2）明天下午有一场好电影，你（　　）去吗？

　　　——明天下午没有事，（　　）去。

（3）听说你参加了电脑学习班，现在（　　）用了吗？

（4）她不但（　　）用电脑了，而且一小时（　　）打两千

　　　多字呢！

（5）这次活动你如果愿意参加的话，也（　　）参加。

（6）他腿上的伤已经好了，（　　）走路了。

228

（7）你很（　　）说服人，连我这个顽固分子都被你说服了。

（8）我最近没有工作，不（　　）付给你全部的房租，先付一半（　　）吗？

（9）他一个晚上就（　　）看完这本小说。

（10）他很（　　）喝，一次（　　）喝一瓶白酒。

三　用下列词语，分别造出完整的双宾语句：

（1）老师　教　一支歌　我们

（2）报告　大家　一个好消息

（3）麻烦　一件事　你

（4）两个小时的时间　浪费　我

四　变换句子：

（一）把下列句子变换成双宾语句：

（1）她正给孩子喂牛奶。

（2）刚才他被我赢了两盘棋。

（3）老师通知小王，让他明天来考试。

（4）我想向您请教一个问题。

（二）把下列句子变换成主谓谓语句：

（5）他的身材长得很高大，他的眼睛也很有神。

（6）谁都不知道那件事。

（7）在学习方面他很努力，在工作方面他也很积极。

（8）我国的经济的发展很迅速。

五　改正下列句子中不适当的地方：
　　（1）我在哪儿上车问小李？
　　（2）管理人员罚了五元钱向他。
　　（3）他送了一支笔我。
　　（4）我告诉大家的一个喜讯。
　　（5）我应该帮助他解决的问题。
　　（6）他愿意去不去那家公司工作？
　　（7）今天晚上不能别的事，只能学习。
　　（8）他想了去美国学习。
　　（9）他该来了吧？——来吧。
　　（10）这个句子这样改也能。
　　（11）哟，我的钱不够了，不会买这件衣服了。
　　（12）你看他多会说，说了一个多小时了，也不嫌累。
　　（13）他的眼睛被那位名医治好了，会看东西了。
　　（14）这个箱子会装下这些书。
　　（15）最近我身体不太好，不会跟你们一起去北京了。
　　（16）你一个人在国外生活，好好照顾自己。

六　用下列词语造句：
　　（1）给
　　（2）告诉
　　（3）**请教**
　　（4）嘱咐

230

（5）可以
（6）得（dei）
（7）愿意
（8）肯

第二十六课　连谓句、兼语句、存现句

一　连谓句

连谓句是由两个或两个以上的动词或动词与形容词作谓语构成的句子，它们共同叙述、描写、说明一个主语。例如：

(1) 他去邮电局发信。

(2) 你有权利发表意见。

(3) 叔叔抚摸着我的头说："多聪明的小东西呀！"

(4) 她听了这个消息很激动。

连谓句中前后两个动词可以表达不同的意义关系。例如：

(5) 他穿上衣服拉开门跑了出去。（动作依序发生）

(6) 我们去医院看病。（目的关系）

(7) 老李每天骑自行车上班。（方式关系）

(8) 大家都站着不动。（正反关系）

(9) 我有理由这样做。（具有、存在某条件的关系）

▲连谓句中有的也可以用动词重叠形式，但是一般要重叠在后一个动词。例如：

(10) 我上街买买东西。

　　＊我上上街买东西。

二　兼语句

兼语句是由一个动宾结构和一个主谓结构套在一起构成的，前一个动宾结构的宾语兼做后一个主谓结构的主语。例如：

　　(1) 这个报告就让小孙起草吧。

232

（2）他的话使我十分生气。

兼语句中谓语动词的特点：

1　具有使令意义

常见的动词有：

使　让　叫　派　请　令　逼

命令　强迫　吩咐　打发　促使　要求　发动

（3）我们请小孙唱支歌，好吗？

（4）首长命令你们停止这次行动。

2　具有称谓、认定意义：

常见的动词有：

叫　称　认　拜　选　推选

兼语后面常用"当""做""为"等动词结构。

（5）同学们一致选我当代表。

（6）我认您做老师吧。

3　用"有""是"做兼语的第一个动词。

（7）他有个中国朋友叫田辉。

（8）是他救了我的命。

兼语句的语法特点：

1　兼语的第一个动词后一般不能带"了""着""过"。少数情况可以，但必须有条件，如：有说明原因、结果的上下文或有表示新情况出现的"了"等。

（9）厂长让工人们谈了各自的想法。

＊厂长让了工人们谈各自的想法。

（10）他知道我一个人很难按时完成实验，就派了一位同志协助我。

2　能愿动词一般放在兼语的第一个动词前。

（11）这件事会叫他感到十分为难。

＊这件事叫他会感到十分为难。

（12）胜利能使人走向成功，也能使人走向失败。

　＊胜利使人能走向成功，也使人能走向失败。

辨析"叫""让"的意义：

"叫"	a	招呼	外边有人叫你。
	b	称谓	我叫王力。
	c	使令	叫他快来。
	d	被	窗户叫风刮开了。
"让"	a	退让	他还小，凡事让着他点儿
	b	转让	这张票让给你吧。
	c	使令	让您久等了，真对不起。
	d	被	钱包让他捡去了。

三　存现句

存现句是表示什么地方存在、出现、消失了什么人或什么事物的句子。例如：

（1）桌子上有几个苹果。

（2）墙上挂着一幅世界地图。

（3）前边开过来一辆汽车。

存现句的语法特点：

1　句首一般是处所词。除少数"有"字句外，处所词前一般不能用"在""从"等介词。

（4）橱窗里摆着各种各样的商品。（＊在橱窗里）

（5）老李家昨天死了一个人。（＊在老李家）

（6）前边来了一个人。（＊从前边）

2　表示存在状态、方式时，谓语是具有持续意义的动词，动词后大都有"着"。

（7）眼里闪动着激动的泪花。

（8）石碑上刻着几个醒目的大字。

3　表示出现、消失时，动词大多是跟物体移动、隐现有关的动词，动词后常常有"了"；句首也可以用时间词。

(9) 1919 年（中国）发生了"五四"运动。

(10) 海面上升起一轮红日。

4　存现句的宾语一般是不确指的，宾语前大多是数量定语或描写性定语，没有定语的情况极少。

(11) 她胸前别着一枚漂亮的胸针。

(12) 教室里排列着整齐的桌椅。

练习二十六

一　判断：

（一）下列连谓句前后两个动词间是哪一种意义关系：

　　a 连续　　b 方式　　c 目的　　d 正反

(1) 他去机场接客人了。（　）

(2) 吃完饭去花园散散步，好吗？（　）

(3) 她含着泪向朋友们道了别。（　）

(4) 我今天就赖在这儿不走了。（　）

(5) 不要躺着看书，那样对眼睛不好。（　）

(6) 小时候，我们俩常去海边捉蟹子。（　）

(7) 他走过来拍拍我的肩膀说："勇敢些!"（　）

(8) 那时，我们常常坐在葡萄架下海阔天空地聊天。（　）

（二）下列句中的"叫""让"是哪一种意义：

1　叫：　a 招呼　　b 称谓　　c 使令　　d 被

(1) 好像有人叫我。（　）

(2) 这次乒乓球赛，我们班叫谁去了？（　）

(3) 游泳团体金牌叫广东队夺去了。（　）

(4) 这种东西叫什么？（　）

(5) 小王叫雨给淋病了。（　）

(6) 我们一定要叫这个穷山村彻底变个样。（　）

2　让：　a 退让　b 转让　c 使令　d 被

(1) 让他好好休息休息，他已经两天没睡觉了。（　）

(2) 这本书你已经有了，就让给我吧。（　）

(3) 明明弄坏的那台相机，让小陈修好了。（　）

(4) 让爸爸给我们讲个故事吧。（　）

(5) 应该把方便让给别人。（　）

(6) 他太懒散了，让公司开除了。（　）

二　按要求变换句式：

（一）将下列句子变换成连谓句：

(1) 他为游览八达岭来到北京。

(2) 我买了一辆汽车，花了十几万。

(3) 我有一件事情，我要跟老师商量商量。

(4) 下课以后，同学们陆续走出教室。

(5) 妹妹一直紧紧地拉住我的手。

（二）将下列句子变换成存现句：

(1) 白云在蓝蓝的天空上飘着。

(2) 远远地一个人走了过来。

(3) 刚才有个人走了，现在又有一个人来了。

236

（4）各种各样的文件、书摆了一桌子。

（5）人民英雄纪念碑矗立在天安门广场上。

三　按要求完成句子：

（一）连谓句：

（1）他的事迹太感人了，大家＿＿＿＿＿＿＿＿＿＿＿＿＿＿。

（2）我们＿＿＿＿＿＿＿＿＿＿＿＿漓江的风光。

（3）客厅里有位客人＿＿＿＿＿＿＿＿＿＿＿＿＿。

（4）球迷们一大早就来到售票口＿＿＿＿＿＿＿＿＿＿。

（5）大家听到明明失踪的消息都＿＿＿＿＿＿＿＿＿＿＿＿。

（二）兼语句：

（1）他请我＿＿＿＿＿＿＿＿＿＿＿＿＿。

（2）妈妈不＿＿＿＿＿＿＿＿那么晚＿＿＿＿＿＿。

（3）我们组派他＿＿＿＿＿＿＿＿＿＿＿＿＿。

（4）你怎么总叫＿＿＿＿＿＿＿＿＿＿＿。

（5）不要＿＿＿＿＿＿＿＿＿接受自己的意见。

（三）存现句：

（1）村口＿＿＿＿＿＿＿＿＿人。

（2）＿＿＿＿＿飞来＿＿＿＿＿＿＿。

（3）车厢里＿＿＿＿＿＿＿＿＿＿乘客。

（4）花坛里开＿＿＿＿＿＿＿＿＿＿＿。

（5）院子里种＿＿＿＿＿＿＿＿＿葡萄。

四　用下列词语，分别造出完整的兼语句：

（1）使　　不安

（2）叫　　等一等

（3）托　　寄　　信

（4）组织　　农村　　考察

（5）让　　代表　　贺词

（6）催　　交房租

（7）推选　　队长

（8）逼　　说　　实情

五　改正下列句子中不适当的地方：

（1）她有两个孩子中学。

（2）我下决心中国的留学。

（3）他走去了学校。

（4）我们选了他班长。

（5）听到敲门声，我快走开门。

（6）你教育他应该学会生活。

（7）过节的时候，他常常邀请我他家吃饭。

（8）我短时间内就让她能说简单的汉语。

（9）他陪我把他们学校参观一下。

（10）树后边走出这个人来。

（11）屋子里住老太太。

（12）在上个月发生了一起坠机事件。

（13）那天天津站还出麻烦事。

（14）在食堂有各种各样的炒菜。

（15）他去去图书馆看书。

根据语气给句子分类可以把句子分成四类：陈述句、祈使句、疑问句、感叹句。各类句子的句尾或句中停顿处，常常借助语气助词来表达各种不同的语气。

第二十七课　陈述句、祈使句及语气助词

一　陈述句及语气助词

陈述句是告诉别人一件事情、说明一个事实或道理的句子。句末用"。"表示停顿。例如：

（1）今天是明明的生日。

（2）这个房间真舒适。

（3）该他说的就让他说嘛。

（4）他的病一定会好的。

陈述句句末有的带语气词，有的不带语气词。句末常用的语气助词有：

　　　　的　　呢　　呗　　嘛　　罢了

例如：

（5）这件事他会处理好的。（加强肯定）

（6）这里的夏天才热呢。（略有夸张）

（7）你怎么瘦了？

　　　　——生活条件不好呗。（不满意、不客气）

（8）这本来就是他的错嘛。（明显、易见）

（9）他（不是不会说,）只是不想说罢了。（仅此而已）

陈述句还有肯定形式和否定形式的分别。用否定副词否定谓语部分，表示否定；反之是肯定。例如：

（10）他不知道那件事。　　他知道那件事。

（11）昨天他没来上课。　　昨天他来上课了。

肯定和否定还可以借助副词"大概""也许"等表示程度上的差别。试比较：

　　　　他不知道那件事。→　他大概不知道那件事。

　　　　昨天他来上课了。→　昨天他也许来上课了。

另外，也可以用双重否定方式来表示肯定和加强肯定。

（12）刘先生德高望重，这里的人没有不敬重他的。

（13）你放心吧，他不会不帮助我的。

二　祈使句及语气助词：

祈使句是要听话人做什么或不做什么的句子。句末多用"！"表示结句。句中主语大多是第二人称代词，常常省略不说；有时表示协同动作时，用"咱们""我们"等。

祈使句根据结构特点和语气的表达，可以分为两大类：

　　　　△ 命令、禁止　　　　△　建议、催促、请求

A　命令、禁止

这类句子一般要求言词简短，语气坚决、直率，因此句末很少用语气词。例如：

（1）下来！

（2）把他捆起来！

（3）快吃！别说话！

240

（4）禁止吸烟！

（5）自己做，不许讨论！

表示禁止意义时，句中常用"不许""不准""不得"等。句中使用这些词后，句末不能再用语气词"吧"。

＊不准大声喧哗吧！　　＊不得随地吐痰吧！

B　建议、催促、请求

表示建议、催促、请求时，语气要求委婉、客气，句末常常用语气助词"吧"。例如：

（6）咱们去医院看看他吧！（建议）

（7）你跟我们一起去吧！（建议）

（8）快走哇！（催促）

（9）帮帮她吧！（请求）

否定式常用"不要""别""不用""甭"等。句末常用"了""啊"等语气助词。

（10）不要这么客气了！

（11）下雨呢，别走了，就在这儿住下吧！

表示请求时，语气要恭敬、缓和，因此，句首常用"请""麻烦""劳驾"等词语；谓语动词常用重叠式或加"一下"的动补式；句末常用语气助词"吧""啊"等。

（12）请您照顾照顾他吧！

＊请您照顾他。（语气太生硬）

（13）劳驾，让一下！

有时也可以在句后再加疑问形式，这种疑问形式有时几乎没有问的意思，只是为了尊敬对方的意见，以一种稍带商量的口吻表示一种客气的请求。

（14）你顺便帮我发一封信，好吗？

（15）我们走走，好吗？

语气助词"啊"，受前一个音节韵母的影响，发生几种音变现

241

象。如：

前一音节尾音是 a，e，i，ü，"啊"读作"呀"；

u，ao， 读作"哇"；

n， 读作"哪"。

前一个词是"了"，后面接"啊"，读作"啦"。

前一个词是"呢"，后面接"啊"，读作"哪"。例如：

这么大呀！ 好哇！ 干哪！

长这么高啦（了＋啊）！

时间还早着哪！（呢＋啊）

练习二十七

一 选择适当的语气词填空：

啊 了 吧 呢 的 呗 嘛 罢了

(1) 他不会不打电话来（ ）。

(2) 这车不知怎么发动不起来了，你给看看（ ）!

(3) A 这次竞赛没有你们班。

B 没有就没有（ ）。

(4) 这件事是你不对，做检讨是应当的（ ）。

(5) 没别的，他只是不想当兵（ ）。

(6) 他才不会同意（ ）。

(7) 别管他（ ），由他去（ ）!

(8) 快进来看看（ ），他病得太厉害（ ）。

(9) 这件事很重要，千万别忘了告诉他（ ）!

(10) 你要去就去（ ），我才不管你（ ）。

二 按要求变换句式：

(一) 把下列句子变成双重否定句：

242

（1）这样做可以。

（2）你要听父母的话。

（3）我一定要打败他。

（4）这个地方谁都知道。

（5）我是班长，一定要为大家的利益着想。

（6）我一定要说说他。

（二）把下列句子变成命令或禁止句：
（1）你出去，好吗？　→
（2）不要说话了。　→
（3）这个地方不能拍照。　→
（4）你快点儿跑，行吗？　→
（5）劳驾，让一下！　→
（6）湖里的鱼是不让钓的。　→
（7）请把嘴闭上，你越说越不像话了。→
（8）来上班，不能迟到。→

（三）根据句子意思，写出相应的请求句：
（1）我希望你做解释。→
（2）我想跟小王借词典用。→
（3）我想让朋友陪我出去散步。→
（4）我想问去火车站的路。→
（5）我希望爸爸同意我去旅游。→
（6）我希望他认真听取大家的意见。→

（7）大家都走累了，我想在这儿坐一会儿。→

（8）我想让老师帮我练习发音。→

三 改正下列句子中不适当的地方：

（1）老师，我写了一篇作文，您给我看。

（2）我买了两张电影票，咱们一起去看呗！

（3）我们两国友好的历史可长。

（4）什么时候去，我什么时候给你打电话呢。

（5）你到底来不来，快决定呢！

（6）雨下得这么大，足球恐怕赛不成。

（7）这么晚，别写吧！

（8）他已经很不容易，不要再为难他吧！

（9）这是无烟车厢，这里禁止吸烟吧！

（10）这些老人都是为了锻炼身体才来爬山呢。

（11）那家商店的东西才贵了。

（12）他不是不会做，只是不想做的。

第二十八课　疑问句、感叹句及语气助词

一　疑问句及语气助词

疑问句是带疑问语气的句子，句末用"？"作语气停顿。根据使用功能，可以分为三类：有疑而问、无疑而问、推测问。

（一）有疑而问——一般的疑问句

一般分为四种类型：

A　是非问

是非问是要求答话人做出或者肯定、或者否定回答的问句，句末大多用语气词"吗"表示，有时也可以直接用语调表示。例如：

（1）今天是星期二吗？——是/不是。

（2）你今年有休假吗？——有/没有。

（3）你们昨天看的那部电影好吗？——挺好的/没意思。

（4）你不喜欢这本书？——是的，不喜欢/不，很喜欢。

B　特指问

特指问是说话人就某一方面提出问题，要求听话人做出回答。句中一定有疑问代词，疑问代词问什么，听话人就答什么。因为疑问代词已表示疑问，所以句末不能再用"吗"，可以用"呢""啊"等语气助词。例如：

（5）你去哪儿了？——去（邮电局）了。

（6）你跟谁一起去的？——跟（朋友一起）去的。

（7）你怎么去的呢？——骑自行车去的。

（8）你在那儿忙什么呀？——我整理整理柜子。

＊你怎么去的吗？

　　C　选择问

　　选择问是问话人提出两种以上的看法，希望听话人选择一种回答。一般用"（是）……，还是……"这种复句方式表达。句末可以用语气助词"呢"，也可以不用。不能用"吗"。例如：

　　（9）你想学习文学呢，还是想学习历史呢？

　　（10）咱们是走着去，还是坐车去？

　　　＊咱们是走着去吗，还是坐车去吗？

　　D　正反问

　　正反问是将肯定形式、否定形式都提出来，让听话人选择一项回答。肯定否定并用是一种疑问方式，句末不再用"吗"，可以用"呢""啊"等语气助词。肯定、否定形式不一定并列在一起，也可以将否定形式放在句末。例如：

　　（11）你是不是医生？（你是医生不是？）

　　（12）你有没有时间呀？（你有时间没有呀？）

　　（13）你要不要我们帮帮你呢？

　　（14）你想不想听他的执政演说呢？

　　　＊你想不想听他的执政演说吗？

　　否定部分的谓词有时可以省略。

　　（15）他们队参加这次比赛不（参加）？

　　（16）你想妈妈不（想）？

　　句中如果带宾语，否定部分的宾语常常省略。

　　（17）你说是这个理儿不是（这个理儿）？

　　（二）无疑而问——反问句

　　反问句形式上是问句，而实际上句中已经有明确的表述，是不需要回答的问句。在反问句中，肯定形式表达否定意义，否定形式表达肯定意义。

　　反问句主要作用是加强语势。由于反问句语气强烈，使用时要注场合。反问句也可以用是非问、特指问、选择问、正反问等四种形式，但是多用是非问、特指问。例如：

（1）这件事是你经手办的，你会不知道？（一定知道）

（2）这样干的话，谁不会干？（谁都会干）

（3）这么晚了，他还不来，你说急人不急人？（急死人）

反问句还常常用副词"难道""岂"等加重反问语气。

（4）你难道能见死不救吗？

（5）这样做岂不害了孩子？

（三）推测疑问句

推测问句是问话人已经有了初步的想法，但是不能十分肯定，于是用自己的推测来试探相问，以求得到证实。推测疑问句主要用"吧"来表示测度语气，有时还用"大概""大约""也许"等副词与之呼应，句末用降调。例如：

（1）这里是留学生宿舍吧？

（2）你大概记错了吧？

（3）车上没有座位了吧？

（4）你身体恢复得差不多了吧？

（5）李力今天没来，也许是病了吧？

二 感叹句及语气助词：

感叹句是用来表达夸奖、赞扬、感慨、意外、惊讶、愤怒等强烈感情的句子。句末多用语气助词，用"！"表示语气停顿。常用的语气助词有：啊、了、呢。例如：

（1）这里的风景多美呀！

（2）这二十年来过得可真不容易呀！

（3）坏了！坏了！（我怎么把那么重要的事情给忘了。）

（4）小心！危险！

（5）太不讲理了！

三 句中的语气停顿及语气助词

有时在句中，为了引起注意、提醒、例举或假设某种情况等，说话人常常借助语气词稍做语气停顿。常用的语气助词有"吧、呢、啊、么"等。

▲ 吧

表示举例：

（1）就拿这个屋子来说吧，条件是不错，就是太小了。

表示假设：常用正反假设的句式，有时有左右为难的意味。

（2）你说我没有朋友吧，我还有七、八个；你说我有朋友吧，却没有一个知心的。

（3）不吃吧，人家请的我；吃吧，实在不喜欢。

▲ 呢

表示相对举例：

（4）我要去看电影，小王呢，却偏要去跳舞。

（5）他要啤酒，你呢？

表示假设的问句：

（6）去旅游只是我们自己的想法，要是他们不同意呢，我们怎么办？

表示说明或解释原因：

（7）她说她不会做，实际上呢，是她根本就不想做。

▲ 啊

表示打招呼：

（8）小李呀，咱们一起去阅览室吧！

表示多项列举：

（9）这个房间里，电视呀，电话呀，电冰箱呀，各类电器还挺全的。

▲ 么

表示停顿，以引起注意：

（10）今天的活动么，主要有以下几项：……

练习二十八

一　判断下列句子是哪种疑问句：

1　A 是非问　B 特指问　C 选择问　D 正反问

（1）这孩子是不是矮了点儿？（　）

（2）今天是国庆，晚上有焰火吗？（　）

（3）这件事我来跟他说，还是你来跟他说？（　）

（4）你是怎么跟他说的？（　）

（5）我们去什么地方休假好？（　）

（6）学校关心你们的学习不？（　）

2　A 一般疑问句　B 反问疑问句　C 推测疑问句

（1）刚才过去的那个人不正是王老师吗？（　）

（2）这件事不该是他的错吧？（　）

（3）你晚上能来我这儿一趟吗？（　）

（4）星期天你还想出去逛逛吧？（　）

（5）他是这起车祸的当事人，处理结果怎么能不告诉他呢？

（　）

（6）看样子，你心里还有些不服气吧？（　）

二　选择适当的语气助词填空：

　　　吗　吧　呢　啊　啦　了　么

（1）这点道理你不会不懂（　）？

（2）这座楼真高（　）！

（3）你怎么生气（　）？

（4）咱们是去打球（　），还是去跑步（　）？

（5）孩子这么小就知道努力，我真是太高兴（　）！

（6）这个问题（　），还是让老林来说说（　）！

（7）就拿泡茶来说（　），其中的窍门就很不少（　）！

（8）事在人为（　）！这不是自古的道理（　）？

（9）我（　），当然喜欢唱歌（　）！

（10）我们到底去哪儿（　）？

（11）去（　），我没有那么多时间；不去（　），实在觉得可惜。

（12）我要是不说（　），你能把我怎么样？

（13）亲人的嘱托你都记住了（　）？

（14）多么壮观的景色（　）！

三　变换表达方式：

（一）　将下列句子变成无疑而问的句子：

例：　这点儿小事，你不应该去麻烦他。

改：　这点儿小事，你何必去麻烦他呢？

（1）明知今天下雨，就该带上雨伞。

改：

（2）主动帮助同学解决困难是对的。

改

（3）他不会，你就应该教给他，不应该看着不管。

改：

（4）你们取得这么大的成绩，得到荣誉是应该的。

改：

（二）针对句中带点的词语提问并回答：

例：我们上午去展览馆了。

　　你们上午去哪儿了？——去展览馆了。

250

（5）他正在教小李开车。

（6）小朋友们唱着歌走来了。

（7）赛场上，观众们的情绪热烈极了！

（8）她从人群中挤了出来。

（9）趁我不注意的时候，他悄悄地走了。

（10）他们有的步行，有的骑马，踏上了征途。

四　改正下列句子中不适当的地方：
（1）他一直一个人生活，真不容易吧！
（2）最后一班车已经过去了，我怎么办吗？
（3）这海滩躺上去多舒服呢！
（4）是你的信吗，还是你朋友的信？
（5）这孩子太聪明吧！
（6）你是不是觉得这儿很宽敞吗？
（7）难道你不相信我吧？
（8）他的脾气才怪呀！
（9）他的汉字写得可漂亮！
（10）你大概很不习惯这种场合吗？
（11）她是怕你担心，你难道不懂吧？
（12）要是明天下雨吗，我们还去呢？

综合练习九

一 判断选择：

1 叫 a 招呼 b 称谓 c 使令 d 被

(1) 球票叫球迷们一抢而空。（ ）

(2) 叫小林代表我们队讲话，好不好？（ ）

2 让 a 退让 b 转让 c 使令 d 被

(3) 你的力气太小，来，让我试试！（ ）

(4) 这块地让一个实业集团买去了。（ ）

3 a 是非问 b 特指问 c 选择问 d 正反问

(5) 这份文件是拍电报，还是发传真？（ ）

(6) 这种空调器的外壳是用什么材料制成的？（ ）

4 a 一般疑问句 b 反问疑问句 c 推测疑问句

(7) 你不敢向他承认错误，是怕他不原谅你吧？（ ）

(8) 只要肯于下工夫，什么困难会克服不了？（ ）

二 选择填空：

1 能 会 可以

(1) 我突然有事，不（ ）陪你去吃饭了。

(2) 如果你愿意的话，也（ ）发表一下你的看法。

(3) 最近他的身体恢复得很快，（ ）下床了。

(4) 你放心，那件事决不（ ）是他干的。

2 啊 了 吗 吧 呢 的

(5) 要是每个人都献出一点儿爱，这个世界将会变得多么
    美好（ ）！

(6) 我太佩服你（ ）！

(7) 你不会对我说你不知道（ ）？

（8）这种事怎么会是他干的（　　）？

（9）一定是他告诉你（　　）。

（10）难道你就不能帮帮他（　　）？

三　按要求变换表达方式：

（1）他打算向林老师请教一个问题。

改成双宾语句：

（2）他的头脑很清楚，他的意志很顽强，一定能干成大事。

改成主谓谓语句：

（3）她为看病来到医院。

改成连谓句：

（4）我告诉他马上去交学费。

改成兼语句：

（5）一群孩子围在他身边儿。

改成存现句：

（6）为了祖国的荣誉，我一定要拼搏下去。

改成双重否定句：

（7）这是考场，请停止交谈。

改成禁止句：

（8）我们可以听音乐，也可以聊天，我不知道他喜欢什么。

用选择问句表达：

（9）你这样帮助他，他会感谢你的。

用反问句表达：

（10）她可能是李明的女朋友。

用推测问句表达：

四　用下列词语按要求造句：

（1）　走　　去　　书店

造连谓句：

（2）　送　　他　　礼物

造双宾语句：

（3）　使　　着急

造兼语句：

（4）　集邮册　夹　　邮票

造存现句：

（5）　看　　文章

造祈使句（请求）：

（6）　时间　　快

造感叹句：

五　改正下列句子中不适当的地方：

（1）一个男子走到我身边，个子不高，戴帽子。

（2）这些人里，会说日语和汉语的人没有。

（3）她让作翻译我给她。

（4）伞是我们弄坏的，一定要赔一把新的向他。

（5）今天我很累，不能别的做。

（6）我的钱不多，要缴学费和生活，不会去旅游。

（7）他的手终于会动了，还会拿很轻的东西。

（8）他要争取早日这项工作的完成。

（9）在天安门广场上人山人海的。

（10）我亲自去请他宴会。

（11）天已经这么黑，别走吧！

（12）老师，我身体有些不舒服，不能上课，请假。

（13）这点小事，我才不会往心里去呀！

（14）你怎么这么不了解他吗？

复 句

两个或两个以上意义上有联系的单句构成的句子叫复句。复句中每一个结构相对独立的单句形式叫分句。

第二十九课　　复句的特点及其类别

一　复句的特点：

复句只在全句句末才有较大的语气停顿，有统一的语调，用"。""！""？"表示；句中只能有小的停顿，用"，""；"等表示。

复句的分句在结构上是相对独立的，不能作另一分句的成分。

例如：

（1）他不但知道，还知道得很清楚。　（复句）
　　　　　①　　　　　　②

（2）他了解得比别人都清楚。（单句）
　　　　　　①

（3）他知道我和小林是坐船来的。（单句）
　　　　　　①

（4）让山区的孩子都念上书，是我们应尽的责任。（单句）
　　　　　　①

（5）我看到树上绽开的花朵、从枝头飞过的小鸟和蓝天上白色的云朵。（单句）　　　　　①

二　复句的类别及关联词语

根据分句之间的语法关系，复句可以分成两大类：联合复句、偏正复句。分句之间的语法关系、逻辑关系大多由关联词语来表示，关联词语主要有：连词、起关联作用的副词。

（一）联合复句

复句中各分句之间的语法关系是平等的，没有主次之分。

分以下几种关系：

1　并列关系

（1）这里的交通很方便，人也很热情。

（2）我们要去掉坏习惯，发扬好传统。

（3）兴高采烈的人们一边跳着舞，一边唱着歌。

各分句分别叙述、说明几个事物或一个事物的几个方面。分句之间可以不用关联词语。

常用的关联词语有：……，也……；……，又……；又……又……；一面……一面……；一边……一边……；既……又……；不是……而是……

2　连贯关系

（4）他听了那些话，一句话也没说，转身就跑了出去。

（5）我们先学习一会儿，然后上街买东西去。

各分句按顺序先后说出连续的动作或事件，分句之间可以不用关联词语。

常用的关联词语有：……，就……；……，才……；又……；……，然后……；一……就……；……，于是……

3 选择关系

（6）我看你给他挂个长途电话吧，或者发个传真。（A）

（7）他不是在会议室开会，就是在车间里劳动。（B）

（8）与其这样闲着浪费时间，不如找点事做。（B）

各分句分别说出一种情况，要从中选择一种。有两种选择情况：

A 选择哪一项都行：或者这一种，或者那一种。

B 只能选择一项：不是这一种，就是那一种；选取这一种，放弃那一种。

常用的关联词语有：或者……或者……；　要么……要么……；是……还是……　；　不是……就是……；与其……不如……；宁可……也/决不……

4 递进关系

（9）他做的零件不但数量多，而且质量好。（A）

（10）她不仅在学习上帮助我，还在生活上关心我。（A）

（11）天冷得连大人都受不了，何况孩子呢？（B）

后一分句的意思比前一分句进了一步。有两种关系：

A 由低到高；　B 由高到低

常用的关联词语有：不但……而且……；不仅……还\也……；连……也\都……何况……；……，甚至……；

（二）偏正复句

偏正复句中分句之间的语法关系是不平等的，有主次之分。主句是正句，偏句是从句。

有以下几种关系：

1 因果关系

（1）因为要赶早上第一班汽车，所以天还没亮他就起来了。

（2）由于大家的看法不同，因此很难形成一致的意见。

（3）我之所以把这件事告诉了你，是因为我相信你。

偏句提出原因，正句说明结果。

常用的关联词语有：因为……所以……；由于……（因此）
……；之所以……是因为……

也可以由正句根据偏句提出的原因，推断出结果。

常用的关联词语是：既然……就/那么……；　……可见……

（4）既然她不喜欢，你就别买了。

2　条件关系

（5）只有深入实际，才能真正了解情况。（A）

（6）只要有勇气、有信心，就一定能够克服困难。（B）

（7）无论工作怎么忙，他都抽时间来看我。（C）

偏句提出条件，正句说明满足这些条件后的结果。

常用的关联词语：A　必要条件：只有……才……

　　　　　　　　B　充分条件：只要……就……

　　　　　　　　C　无条件：　无论……都……；

　　　　　　　　　　　　　　　不管……也……

3　假设关系

（8）如果生活上有什么困难，就跟我说一声。

（9）要是天气不好，我们就改期。

（10）一个作家，假如他离开了真实的生活，那么他是不会写出感人的作品的。

偏句提出一个假设的情况，正句说明在这种情况下的结果。

常用的关联词语有：如果（的话）……就……；要是……就……；

　　　　　　　　　假如……那么……；倘若……

4　转折关系

（11）我很想去看个电影，只是没有时间。

（12）他学习是很认真，不过还要注意学习方法。

258

（13）虽然失败了很多次，但是他并不灰心。

偏句和正句说出的事实不是一致的，而是相对或相反的。

常用的关联词语：A　轻转 ……，只是……；……，不过……

B　重转 虽然……但是……；……，可是……；……，却……；……，然而……

另外，还有一种转折关系的句子，偏句往往表示承认某一事实（真实的或假设的），作出让步，正句从相对、相反的方面提出看法，叫作让步转折关系。

（14）尽管他的错是不可原谅的，你也不该发这么大的脾气。

（15）就是有天大的困难，我们也不能后退。

常用的关联词语有：尽管……但/也……；固然……也……；即使……也……；就是……也……；哪怕……也……

三　复句的主语及关联词语的隐现与位置

（一）复句主语的隐现与位置

复句中，有时各分句共用一个主语，这时主语大多可以省略，只在一个分句中出现就可以了。联合复句的共用主语大多出现在第一分句中，少数连贯关系复句，前边分句有表示时间、处所、状态等意义时，主语也可以放到后边的分句中。偏正复句的共用主语一般放在前后哪个分句中都可以。例如：

联合复句：

（1）她又会唱歌，又会跳舞。

（2）他们爱祖国，爱人民，爱正义，爱和平。

（3）他不认识我，甚至连我姓什么都不知道。

（4）走着走着，他停住了。（状态）

（5）看到别人有困难，他总是热情帮助。（时间）

偏正复句：

（6）我们不论有什么事，都愿意找他。

　　不论有什么事，我们都愿意找他。

（7）因为外面下雨，所以他没去跑步。

　　他因为外面下雨，所以没去跑步。

（8）如果你昨天来，就能见到他了。

　　如果昨天来，你就能见到他了。

如果各分句的主语不同，那么一般都要出现。例如：

（9）不管时间有多紧张，我都要把这份计划搞完。

（二）关联词语的隐现与位置

一般来讲，联合复句中表示并列关系、连贯关系的句子常出现不用关联词语的情况，但是如果后续句中出现由副词充当的关联词语，是不能省掉的。其它复句大多要用关联词语。正句中的关联词语一般必须出现，偏句中的关联词语有时可以不出现。例如：

（1）（就是）遇到天大的困难，我也不会停下来。

（2）他（不仅）是我们的好队长，也是我们的好朋友。

（3）（只要）你说得对，我们就改正。

（4）他（不但）会说英语，还会说德语和法语。

当然，偏句中关联词语出现与不出现并不是完全自由的，要根据表达的需要，如果说话人强调偏句的条件、原因、情况时，则必须出现，否则，可以不出现。

有时偏句中的关联词语不出现，句子的逻辑关系就不清楚，这时偏句中的关联词语就必须出现。例如：

（5）你同意，我马上就去。

　　假如/只要你同意，我马上就去。

（6）你不告诉我，我也会知道。

　　你不告诉我的话，我也会知道。

　　即使你不告诉我，我也会知道。

关联词语的位置：

260

1 第一分句的连词，在两个分句主语相同时，多在主语后，主语不相同时多在主语前。

（7）他不但参加了会，还作了发言。

（8）不但他参加了会，我也参加了会。

（9）只要你说得对，我们就改正。

2 第二分句的连词一定要放在主语前。

（10）因为说不好，所以我没敢说。

（11）是叫他站下呢，还是我紧走几步赶上他呢？

3 起关联作用的副词，要位于主语后。

（12）如果你再不说，我就要生气了。

练习二十九

一 选择适当的关联词语填空：

（1）＿＿热爱工作的人，＿＿热爱生活。

（2）她＿＿穿衣服，＿＿习惯地照照镜子。

（3）去一个人就行，＿＿你去，＿＿我去，＿＿他去。

（4）外面冰天雪地的，屋里＿＿温暖如春。

（5）＿＿明天不下雨，我们＿＿去公园划船。

（6）＿＿先读基础书呢，＿＿先读专业书呢？

（7）天气这么好，＿＿呆在家里聊天，＿＿到外面走走。

（8）她＿＿嘴上没说欢迎，＿＿心里＿＿是欢迎的。

（9）＿＿让他来承担这项工程，工期和质量绝对不会有问题。

（10）＿＿有恒心，＿＿能取得学习成果。

（11）作家＿＿要参加大众生活，＿＿一定不能落在后面。

（12）他＿＿对学习，＿＿对工作，＿＿非常认真。

261

（13）____最近实在太忙了，____直到今天才来看你。

（14）____我知道这条道路并不平坦，____我还是要走下去。

二　用适当的关联词语，将下列各组句子组成复句：
　　例：　这次活动同学们参加了。
　　　　　这次活动老师们参加了。
　　改：　这次活动不光同学们参加了，老师们也参加了。
　　（1）我不懂。　他不懂。

改：
　　（2）你们骑自行车去。　你们走着去。

改：
　　（3）同学们都去春游了。　校园里很清静。

改：
　　（4）老人心里很明白。　老人不愿意对别人说。

改：
　　（5）她把房子借给了我。　她主动照顾我的生活。

改：
　　（6）你们真心相爱。　你们的目的能达到。

改：
　　（7）他坚持不肯离婚。　我只好上法院。

改：
　　（8）这篇文章好还是不好。　我要看这篇文章。

改：
　　（9）事情已经这样了。　你说很多没有用。

改：
　　（10）她不低头。　她不出声。　她不流泪。

改：

三 改正下列句子中不适当的地方：

(1) 我不但不看懂，也他不看懂。

(2) 要么你们去八达岭，要么你们去颐和园。

(3) 虽然他已经六十多岁了，头发没有白。

(4) 我不嫉妒，我高兴。

(5) 他不但来了，来得很早。

(6) 他们俩无论谁当代表，我赞成。

(7) 这个地方不但穷，但是文化方面也很落后。

(8) 你说今天没有时间，那么你在这儿闲着看电视？

(9) 只要努力，多听多说，才一定能学好汉语。

(10) 他做得不太好，尽了最大的努力。

(11) 要是没有你们的帮助，就我无法生活下去。

(12) 东郭先生救了狼，却狼没有感谢他，反而狼要吃他。

(13) 明天刮风还是下雨，我们准时出发。

(14) 我们去参观的时候，走到哪儿能看到热情的人们。

四 用下列关联词语造句：

(1) 不是……就是……

(2) 不但……而且……

(3) 因为……所以……

(4) 虽然……但是……

(5) 如果……就……

(6) 不论……也/都……

(7) 即使……也……

(8) 与其……不如……

第三十课　复句对比与应用

1　一边……一边……　　　既……又……
　　又……又……　　　　也……也……

这四组关联词语都可以表示同时存在两种情况或状态。A、B两分句的结构都要求基本相同，要用性质、语义相同或相近的词语。但是它们一般不能通用，主要区别在：

▲　一边……一边……

表示在同一时间里进行两个动作；因此只联接表示具体动作行为的动词，不联接表示抽象意义的动词、不表示动作的词组和形容词。例如：

　　(1) 她一边倒茶，一边招呼客人坐下。

　　(2) 他一边走着，一边想着自己的发言稿。

　　　＊我跟他一边用汉语，一边用日语，聊了半天。

　　　＊他们一边进行比赛，一边加强友谊。

　　　＊她们一边说着、唱着，一边很愉快。

▲　既……又……

A、B 两个分句在意义上有轻有重，A 轻 B 重。例如：

　　(3) 这里的饭菜既经济，又实惠。

　　(4) 他们既有措施，又有要求，所以任务完成得很好。

▲　又……又……；也……也……

跟"既……又……"比，这两种句子A、B 两个分句在意义上不分轻重，位置有时可以互换。但是，"又……又……"可以连接动词，也可以连接形容词；"也……也……"一般只连接动词，连接形容词时有特殊条件，即 AB 两分句要用相同的形容词。此外，

264

AB 两分句主语相同时，一般用“又……又……”，不同时，一般用“也……也……”。例如：

（5）他又会写诗，又会写小说，本事大着呢！

（6）屋里又闷又热，叫人喘不过气来。

（7）儿子也睡了，妻子也睡了，只有他还在灯下工作。

（8）屋里也热，外头也热，跳到河里也还是热，真不知道躲到哪儿才好。

＊校园里也干净，也整齐。

＊这儿又发洪水，那儿又发洪水，到处是灾害。

2　（或者）……，或者……　（是）……，还是……

这两个句式都有选择的意思，但是“……，或者……”句是叙述、说明具有两项以上可供选择的情况、条件，用于叙述句；而“……，还是……”句则主要是问句，让对方在两个或两个以上的选择项中选择一项。如果用在陈述句中，陈述句的某成分中要含有疑问的意思。例如：

（1）大学毕业以后，我或者参加工作，或者继续读书。

（2）这次会你去参加，或者他去参加，都行。

（3）你要喝咖啡，还是要喝茶？

（4）我也不知道先去西安好，还是先去上海好。

＊星期六下午，我们常常去外边玩，还是去商店买东西。

＊他问：“打完电话我付钱或者对方付钱？”

3　以后……　后来……　……，然后……

“以后”是方位词，具有名词性；“后来”、“然后”都是时间副词，所以，“以后”可以用在“下课以后”“毕业以后”这样的词组中，“后来”“然后”不行。

它们都可以用在复句中，但是“以后”是跟“以前”相对的，主要在于表示时间；“后来”跟“起初”“起先”相对，“然后”跟“首先”相联，它们主要在于表示动作或事件的先后顺序。

"后来"跟"然后"的区别在于:"然后"表示的动作或事件是接连发生的;"后来"前后的两个动作隔开较长时间。此外,"后来"只跟过去时间相联系,"然后"既可以用于过去,也可以用于将来。例如:

(1) 那些事都过去了,别再提了,以后注意就是了。

(2) 起初他们以为人人都得查,后来才知道是有重点的。

(3) 大家先谈谈情况,然后我们再具体分析分析。

△ 上课以后(*后来),老师先讲生词,然后(*以后)我们念课文。

△ 王欣给丽丽三十块钱,告诉她是学校发给的救济金,后来(*然后、*以后)丽丽才知道,这钱是王欣自己的。

4 　与其……,不如……　宁可……,也不/要……

这两种句式都含有通过比较选一种舍一种的意义。但是"与其……,不如……"是舍掉前一判断,选取后一判断;"宁可……,也不/要……"是选取前一判断,舍掉后一判断,选择的判断,往往对自己不利;语气坚决。例如:

(1) 与其坐在这里闲聊,不如到外面走走。

(2) 宁可站着死,也不跪着生。

＊他不喜欢这本书,与其送给别人,不如送给他。

＊对他这种不讲信誉的人,我宁可不跟他交朋友,也不交朋友。

5　只是　　不过　　可是　　但是　　然而　　反而

这些关联词意义上的共同点是:都带有转折意味。

"只是""不过"意义相近,只带有很轻微的转折意味,表达的主要意思一般在前一分句上,后一分句往往起补充或修正的作用。因为句子的语气轻微、委婉,所以前一分句不与"虽然"连用,后一分句不与"却"连用。

"不过"跟"只是"比，语气稍重。例如：

(1) 我其实很想去看看，只是没有时间罢了。

(2) 他的脾气一向很大，不过现在好多了。

＊虽然对各种意见都要听，不过听了要作分析。

＊他各方面都很好，只是身体却不大好。

＊有时两人互相讽刺、互相攻击，但是这不是真的。

"可是""但是""然而"转折的意味都较重，"但是""然而"的转折意味最重，它们都以后一分句的意义为重。"可是""但是"意味轻重稍有差别。"但是"用于书面语的时候多些，其它基本相同。它们的前一分句常接"虽然"，后一分句常接"却""还"等副词。"然而"含有文言意味，主要用于书面语。另外它一般很少跟"虽然"配用。例如：

(3) 这菜看上去不怎么样，可是吃起来却挺不错。

(4) 她的声音虽然不大，但是却很坚决。

(5) 试验多次被迫停止，然而他们并不灰心。

"反而"跟上述词有所不同，从前一分句产生相反结果的角度看，它具有转折作用，但是从前一分句引出一种否定的意思而后一分句将意思推进一步看，它有递进的关系。因此，它跟"不但不""不仅不"搭配使用。

(6) 下了一阵雨，天气不仅没有凉下来，反而更加闷热了。

(7) 这些活动不但不会影响学习，反而还会促进学习。

练习三十

一 判断选择：

1 A 一边……一边……   B 既……又……

    C 又……又……   D 也……也……

(1) 这个计划他们组____不同意，我们组____不同意，不能实施。

(2) 这双鞋____便宜，____轻便，尤其是"轻便"，很适合老年人。

(3) 山____高，路____滑，困难真不少。

(4) 第一次参加这样的活动，孩子们____紧张，____兴奋。

(5) 他____修着自行车，____哼着小曲。

(6) 这种做法____不利于人才流动，____不利于调动学生的学习积极性。

(7) 我们大家围坐在火堆旁，____烤肉吃，____聊天。

(8) 今天我们每个人做一个菜，大家你____做，我____做，热闹极了。

2　A（或者）……，或者……　　B（是）……，还是……

(1) 今天下午有两场比赛，你去看篮球比赛____足球比赛?

(2) 晚上小林、小王过生日，我们在小林的房间里____小王的房间里搞一个生日晚会。

(3) 我____跟他和解，交朋友，____跟他对立到底?

(4) 我也不清楚他姓王，____姓李。

(5) 你____自己做，____请别人帮你做，反正今天必须做完。

3　A　以后　　B　后来　　C　然后

(1) 晚饭____，我们常去校园里散步，____回到房间里学习。

(2) 今天没有时间了，这项计划____再研究。

(3) 开始他还给我来过几封信，____就一点儿音信也没有了。

(4) 练习写作先要认真思考，再列出提纲，____动笔写。

(5) 我们起初只是互相走走，____干脆搬到一起住了。

(6) 她们这几个人先后结了婚，____像商量好了似的，又先后离了婚。

4　A　与其……，不如……　　　　B　宁可……，也不\要……

（1）我____多干点儿，____能累着你。

（2）____说他们在评论学生，____说他们在评论学生的老师。

（3）这样记录多麻烦呀！____这么麻烦地记，____弄台录音机来录。

（4）我____少睡点儿觉，____把这篇文章写完。

5　A　只是　　　　B　不过　　　　C　可是

　　D　但是　　　　E　然而　　　　F　反而

（1）我虽然在那儿住过，____没住上几天。

（2）这人很面熟，____我一时想不起来了。

（3）他走得不算太快，____每一步都很坚实。

（4）这件事不但没把他打下去，____使他更加坚强起来了。

（5）文章虽然很短，____读起来却十分有味儿。

（6）每天坚持写日记是很有意义的，____是很不容易的。

（7）她不但不惊慌，____坦然地笑了。

（8）你说得很正确，____不该用那种态度。

（9）他的发言虽然简短，____却十分有感染力。

（10）这一急不但没使她糊涂，____更加清醒了。

二　用下列关联词语（限用一次），将各组句子组成复句：

虽然……但是……　　……不过……　　……然后……

是……还是……　　或者……或者……　　又……又……

与其……不如……　　宁可……也要……　　一边……一边……

（1）参加武术队。参加网球队。你只能参加一个队。

改：

（2）这篇文章不长。这篇文章内容很丰富。

269

改：

（3）她把笔纸准备好。她认真地写起来。

改：

（4）你自己去？你跟同学一起去？

改：

（5）我不休息。我一定把任务完成。

改：

（6）今天天气很晴朗。今天天气很温暖。

改：

（7）她总是看电视的时候吃饭。

改：

（8）他本来可以爬到山顶。他为陪我没有爬上山顶。

改：

（9）闷在心里难受。说出来痛快。

改：

三 改正下列句子中不适当的地方：

（1）学习重要，但是身体健康更重要。

（2）第一次见面我就感到她是个好人，以后证明我的感觉是对的。

（3）他的自行车虽然很旧，只是从来不出毛病。

（4）第一次参加这样的活动，我一边紧张，一边兴奋。

（5）今天天气这么好，与其去公园玩儿，不如呆在家里。

（6）他学了两年汉语，但是不会说。

（7）我一边生气，一边难过地离开了他家。

（8）紧张地学习使汉语水平提高了不少，我们不过玩的时间很少。

（9）我宁可把这本书看完，也不吃饭。

（10）他们的文化水平很高，生活也不富裕。

（11）他比我大十岁，不过我们俩成了好朋友。

（12）小李为大家做了不少好事，他从来不说。

（13）这里的服务也周到，也热情，深受顾客好评。

（14）我们把房间收拾好，以后去外面打球。

综合练习十

一　判断选择：

1　　A　一边……一边……　　　B　既……又……

　　　C　又……又……　　　　　D　也……也……

（1）你____不去，他____不去，谁去呢？

（2）他____抽着烟，____沉思着。

2　　A　以后　　B　后来　　C　然后

（3）老牛来到河边，喝了些水，____回到棚里。

（4）开始她什么也不说，____在大家的劝说下才说出了真情。

3　　A　或者……或者……　　　B　是……还是……

（5）____研究好了再干，____干起来再说？

（6）____打电话，____发电传，怎么样都行。

4　　A　与其…….不如……　　B　宁可……也不……

（7）____开这么多小公司，____办一个联合的大公司。

（8）我____饿肚子，____吃那种鬼东西。

5　　A　不过　B　但是　C　然而　D　反而

（9）我见过不少大树，____像这样大的树却是第一次看见。

（10）你别那么在意，我____随便说说罢了。

二　选择适当的关联词语（限用一次）填空：

　　只有……才……　　既……又……　　因为……所以……

271

如果……就……　　即使……也……　　尽管……可是……
只要……就……　　先……然后……　　不但……反而……
虽然……但是……　　无论……都……　　不仅……而且……

(1) ____感到累，____休息一会儿。

(2) 候机大厅____宽敞，____明亮，使人感到格外舒服。

(3) 星光在我们的肉眼里____微小，____它却使我觉得光明无处不在。

(4) 集邮____丰富了我的业余生活，____培养了我对艺术的兴趣和爱好。

(5) ____事物之间的联系是很复杂的，____我们不能怕麻烦。

(6) ____研究事物的内在联系，掌握它们的规律，____能把事情办好。

(7) 这里一年四季都很温暖，____是冬天____不冷。

(8) 你____细心体味，认真思索，____会理解这段话的意思的。

(9) 她早晨起来总是____打扫屋子，____再吃早饭。

(10) ____我说了许多好话，____她一句也听不进去。

(11) 这里的山民很喜欢唱歌，____走到哪里，____能听到他们的歌声。

(12) 她____没有生气，____温和地说："就依你吧!"

三　选择适当的关联词语（不能重复），将各组句子组成复句：
　　例：这两句话他背得很熟。他没有认真地想过这两句话。
　　改：这两句话他虽然背得很熟，但是并没有认真地想过。
　　(1) 19岁的我什么财富都没有。19岁的我拥有青春。
　　改：
　　(2) 我很想帮助他。我不知道该怎样帮助他。

272

改：

（3）这山很陡，脚下失足，会掉下去摔死。

改：

（4）妈妈没有责备我。妈妈还来劝慰我。

改：

（5）你有兴趣游览。我给你当一回向导。

改：

（6）你说得没有错。你说得太直率了。

改：

（7）他已经七十多岁了。他身体一向很硬朗。

改：

（8）我几天不睡觉。我要把这次考试复习好。

改：

（9）我说不清楚会议在会议室开，会议在礼堂开。

改：

（10）这种快餐经济，实惠，方便。

改：

四　改正下列句子中不适当的地方：

（1）不论我有多忙，他不帮我。

（2）只要抓紧时间，就你能按时完成。

（3）我没有病，但是身体有点儿不太舒服。

（4）对于我来说，请客不是一种负担，也是增进我和朋友友谊的桥梁。

（5）姑娘长得很清秀，眼睛什么也看不见。

（6）只有下水去实践，就能学会游泳。

（7）他身体虽然很瘦，不过却没有病。

（8）她一边伤心地走着，一边流泪着。

（9）来，谁来唱支歌还是讲个笑话什么的，活跃一下气氛。

（10）他接过录像机，调整了一下，以后交给小刘。

（11）读书是学习，使用也是学习，是重要的学习。

（12）他又不说，你又不说，我怎么会知道呢？

（13）我宁可多受点儿累，找到他。

（14）我学习很忙，也没有给你写信。

汉语语法水平测试试题

一　选词填空，在合适的词上画"○"：（20 分）

(1) 我好像从来也没看见＿＿这么美丽的彩霞。

　　　　A　了　　　B　着　　　C　过

(2) 很快她们就忘了那些不痛快，＿＿说笑起来了。

　　　　A　也　　　B　又　　　C　再

(3) 他没有其他人表现＿＿的那种急躁情绪。

　　　　A　出来　　B　上来　　C　起来

(4) 这里的房费＿＿贵，我们看看别处吧。

　　　　A　一点儿　B　有点儿　C　稍稍

(5) 她默默地看了他们一会儿，＿＿一横心，狠狠地走开了。

　　　　A　然后　　B　以后　　C　后来

(6) 他是一个＿＿有经营能力的经理。

　　　　A　真　　　B　太　　　C　很

(7) 上次活动你就＿＿参加，这次再＿＿来，大家会有意见的。

　　　　A　不　　　B　没　　　C　未

(8) 他们整整一个上午都＿＿排练，花了不少工夫呀！

　　　　A　正　　　B　在　　　C　正在

(9) 多少年你都等了，这么＿＿天就等不得了？

　　　　A　二　　　B　俩　　　C　两

(10) 奶奶一＿＿地嘱咐我："记着早点儿来信！"

　　　　A　遍遍　　B　遍　　　C　次

(11) 你知道他排了多长时间才买来这张票吗？整整三____呀！

      A 钟头   B 小时   C 时间

(12) 他今天穿戴很讲究，尤其是那____高级领带。

      A 条   B 根   C 支

(13) 你们什么时候到达目的地____？

      A 了   B 过   C 的

(14) 我小学时，就在这____学校里度过了六年美好的时光。

      A 所   B 座   C 家

(15) 那里的房间____这里的小，价钱却便宜多了。

      A 没有   B 不比   C 不如

(16) 他详细地____大家介绍了这里的情况。

      A 朝   B 对   C 向

(17) ____那些使用价值很高的书，也____他卖了。

      A 连   B 被   C 把

(18) ____同学们的热情帮助____，她终于克服了困难。

      A 在……上 B 在……中 C 在……下

(19) 我没有钱了，不____付房费了，麻烦你帮我找份工作好吗？

      A 能   B 会   C 可以

(20) 这儿离城里远得很，有三、四十里地____！

      A 吧   B 呢   C 啊

二 判断括号中的词语应该在哪条横线上，画"○"表示：(15 分)

(1) 他打算____下____课____就去____图书馆____。（了）

(2) 我____要____跟你们____一起____去。（也）

(3) 她不说____，也不动____，两只眼睛注视____屋顶，只有眼白露____在下面。（着）

(4) 他是这个____医院里____最有经验____老____大夫。（的）

(5) 会议结束后，____我们____集合____出发。（就）

（6）我很喜欢北京，找机会____一定____去____一次。（再）

（7）你____不要____把这件事____告诉任何人。（千万）

（8）他分析得____完全____正确，你看，这个地方就有漏洞。
                                                    （不）

（9）她对战士们____就像____对自己的亲人____一样。（简直）

（10）他自己的藏书已经有三____千____册____了。（来）

（11）虽然只离开了三天，可是____却____担心得____要死。
                                            （把妈妈）

（12）刘秘书扶着老经理慢慢地走____下____楼____。（来）

（13）我____就跟奶奶____一起____住在乡下。（从小）

（14）我抬头望着____枝头上____火红火红的____红叶，激动
      极了。   （一簇簇）

（15）昨天晚上，我____跟他____聊了____天儿____。（俩小时）

三　选择适当的词填空（每词限用一次）：（25分）

（一）（16分）A（副词）　　不　刚　刚才　也　更　终于
　　　　　　　　　　　　　只　才　突然　又　都　已经

　　　　　　　B（补语）　　活动　出来　足　上　到
　　　　　　　　　　　　　灭　红　下来　出　起　开
　　　　　　　　　　　　　进　近　着（zhao）

　　　　　　　C（方位词）　上　中　里　外　前

　　　一阵搏斗，（　）救出一个"哇哇"叫的孩子。看着这（　）
救（　）的孩子，我心（　）想：（　）救（　）你家大人，谁养
活你呀！这时候，屋里的火（　）大了，家什好像也（　）烧
（　）了，"噼噼啪啪"作响，我鼓足勇气（　）一次踹（　）了
门，一头钻（　）火门里，在烟（　）摸索着。（　）我摸到了
（　）看（　）的那个大人，就使（　）了劲拉，可是一点儿
（　）拉不（　）。我凑（　）一看，（　）见她脸上流（　）的血

277

（ ）把胸（ ）的衣服染（ ）了，眼睛也闭（ ）了，鼻孔里一
点儿气也没有了。我知道她不行了，（ ）赶忙跳（ ）门（ ），
扑（ ）身（ ）的火苗，抱（ ）这个无父无母的孩子。

（二）（3分）　　　了　　着　　过　　正在　　　在　　　就要

    （1）这座桥已经有一千多年的历史了，到现在还保持（ ）
        原来的雄姿。虽然曾经有（ ）残损，但是经过彻底修
        整，这座古桥又恢复（ ）青春。

    （2）战士们（ ）出发了，汽车缓缓地动起来了，可是亲人
        们还（ ）拉着战士们的手，舍不得放开。

    （3）广阔的田野里，几个农民（ ）辛勤地劳动着。

（三）（6分）……只是……　无论……都……　即使……也……
            ……所以……　不但……而且……　与其……不如
            ……

    （1）好像她老是在微笑着，____在生气的时候，____掩盖不
        住她那美丽的影子。

    （2）听说中国人相信鬼神，____他很为这次解剖课担心。

    （3）他比先前没什么大的改变，____老了些。

    （4）____整天这么闲着无聊，____先凑合找点儿事做。

    （5）十年不见了，他____变了，____变得很厉害。

    （6）____什么时候，____需要有知识、有文化的人才。

四　指出并改正下列句子中的错误：（20）

    （1）她每天中午都是边吃吃饭，边看看电视。

    （2）这几份纪念品都是很好，都我想买。

    （3）天津里马路上多自行车，使我感到惊讶。

    （4）我觉得这里的老师都非常热情我们。

    （5）这个饭店的饭菜比我们食堂的不贵。

    （6）南开大学比我们学校很大。

（7）现在她一点儿累了，想休息一次。

（8）来中国学习是我最大的希望，现在我的希望终于实现了。

（9）她怎么非常痛苦？你知道什么事吗？

（10）听说她喜欢只外国电影。

（11）那次见面后，再我们俩也不联系过。

（12）这个旅馆离学校稍稍远，换一处近吧！

（13）在这里，我遇见真多好心人。

（14）这个问题我还不太懂，你能说明我吗？

（15）昨天的晚会是在哪儿举行了？

（16）在中国的这两年，我过了最愉快。

（17）你会不会帮我把这些东西给小林捎去吗？

（18）你放心，一个月以后，我还会回来中国。

（19）他从来没抽烟、没喝酒了。

（20）随着学习汉语，我越来越喜欢汉语了。

五 用上括号中的词语，重新组织句子：（20分）

例如：老师批评了我一顿。（被）

我被老师批评了一顿。

（一）用单句表示：（18分）

（1）我昨天读完了一本十万字的小说。（把）

（2）我从来也不喝酒，可是今天晚上我却喝了。（连）

（3）五楼最西头儿有个房间，它是我的房间。（那）

（4）他的汉语表达能力差点儿，我比他要好些。（不如）

（二）用复句表示：（12分）

279

（5）雨下得大了起来，天也暗了下来。（越……越……；

越来越……）

（6）这两本书我看过，别的还没看呢。（除了……都……）

（7）他不光对学习认真，对工作也很认真。

（无论……都……）

（8）生命是一种自然现象，生活是具有深刻的社会意义的。

（……而……，……却……）

主要参考文献

吕叔湘主编《现代汉语八百词》　　商务印书馆　1981 年

赵元任　　　《汉语口语语法》　　商务印书馆　1979 年

张志公　　　《语法和语法教学》　　人民教育出版社　1956 年

刘月华等　　《实用现代汉语语法》外语教学与研究出版社1983 年

房玉清　　　《实用汉语语法》北京语言学院出版社　1992 年

李英哲等　　《实用汉语参考语法》　北京语言学院出版社1992 年

宋玉柱　　　《现代汉语特殊句式》　山西教育出版社　1991 年

　　　　　　《现代汉语语法十讲》　南开大学出版社　1986 年

李临定　　　《现代汉语动词》　中国社会科学出版社　1990 年

马庆株　　　《汉语动词和动词性结构》　北京语言学院出版社
1992 年

王维贤等　　《现代汉语复句新解》华东师范大学出版社　1994 年

缪锦安　　　《汉语的语义结构和补语形式》　上海外语教育出版社
1990 年

史锡尧　　　《副词"才"与"都"、"就"语义的对立和配合》《世界汉语教学》　1991 年第 1 期

李晓琪　　　《现代汉语复句中关联词的位置》《语言教学与研究》
1991 年第 2 期

周小兵　　　《谈汉语时间词》《语言教学与研究》　1995 年第 3 期